『天工开物』
——中国大发明——书系

汉字

华觉明　冯立昇　主编

鹏　宇　著

中原出版传媒集团
中原传媒股份公司

大象出版社

·郑州·

图书在版编目（CIP）数据

汉字／鹏宇著. — 郑州：大象出版社，2021. 12
（"天工开物——中国大发明"书系）
ISBN 978-7-5711-0860-1

Ⅰ. ①汉… Ⅱ. ①鹏… Ⅲ. ①汉字-文化研究
Ⅳ. ①H12

中国版本图书馆 CIP 数据核字（2020）第 249599 号

"天工开物——中国大发明"书系

汉字
HANZI

鹏　宇　著

出　版　人	汪林中
选题策划	张前进
责任编辑	石更新
责任校对	安德华
装帧设计	付铹铹

出版发行　大象出版社（郑州市郑东新区祥盛街 27 号　邮政编码 450016）
　　　　　发行科　0371-63863551　总编室　0371-65597936
网　　址　www.daxiang.cn
印　　刷　河南新华印刷集团有限公司
经　　销　各地新华书店经销
开　　本　890 mm×1240 mm　1/32
印　　张　8.875
字　　数　95 千字
版　　次　2022 年 3 月第 1 版　2022 年 3 月第 1 次印刷
定　　价　39.00 元
若发现印、装质量问题,影响阅读,请与承印厂联系调换。
印厂地址　郑州市经五路 12 号
邮政编码　450002　　电话　0371-65957865

总　序

中国的"四大发明"因其对近代世界历史进程产生过重要影响而备受国人的关注，"四大发明"的说法也广为人知，但"四大发明"是源自西方学者的一种提法，这一提法虽有经典意义，却有其特定的背景和含义，它远不能全面地反映中国的重大发明创造与技术文化传统。中华五千年文明史上的重大发明远不止这四大发明。20世纪以来特别是近几十年来中国的科学技术得到了快速的发展，在社会和经济发展中扮演着越来越重要的角色。中国历史上究竟有哪些重大发明创造，不仅受到学界的关注，也成为公众关心的问题。要想实事求是、客观科学地回答这个问题，必须在中国科技史研究的基础上作进一步的探索和梳理，从中遴选出具有原创性、特色鲜明、对中国乃至世界文明进程有突出贡献和重要影响的重大发明，论述其发生的背景和演进过程。为此，我们邀请科技史及相关领域的专家编写了《中国三十大发明》一书，并于2017年5月出版。该书出版后获得学界和读者的好评，并受到广泛关注，先后荣获第十三届文津图书奖和科技部2018年全国优秀科普作品奖，入选2017年度"中国好书"和改革开放"40年中国最具影响力的40本科学科普书"等。

　　为了进一步推动中国发明史的研究，普及中国科技文化知识，我们在《中国三十大发明》一书的基础上，又组织编纂了这套"天工开物——中国大发明"书系，目的是更全面细致地阐述中国重大科技发明的内涵，搞清楚其来龙去脉，使读者能够更好地理解和认识中国古代重要科技发明创造及其历史与现代价值。本套丛书中每一本的篇幅都不大，侧重于知识普及，图文并茂，尽可能让读者在不太长的时间内，从科技史家的叙述中，获取每一项发明的有关信息和知识。

中国有着悠久的历史文化，中华民族曾经有过许多伟大的发明创造，不仅推动了中华文明的进步，而且对世界文明的进程也产生了重大影响。每一个中国人都应当尽可能正确地了解历史，中国的事情中国人自己要弄清楚，在发明创造的问题上，中国人要有自己的话语权。本套丛书力求体现文化自觉的理念，尽可能全面总结中华民族对人类科技文明的重大贡献。在重大发明遴选方面，我们进行了调整和扩充，将三十项发明扩展为四十余项，特别是适当增加了中国现当代的重大发明。本套丛书从文化传统和全球视野两个方面对中国大发明进行了观照。如汉字和中式烹调术，过去较少被视为重大发明，但它们是中华文明的重要象征，在中国文化与技术传统中占有重要位置，足以列为中国重大发明。特别是汉字，作为中国人记录信息和表达思想的工具，至今还充满生机，不仅对中华文化的形成、传播和传承具有不可替代的作用，而且对日本、朝鲜和越南等周边国家和地区产生了巨大影响。中式烹调术对提高人民生活质量和增强身体健康发挥了重要的作用，随着中国综合国力和国际影响力的增强，中式烹调术也传播到世界各地，并扮演着越来越重要的角色。传统的中医药也蕴含着一些现代科技的先驱性成果，如人痘接种术就属于产生了世界影响的免疫学先驱性成果。

我们对中国现当代重大发明同样给予了关注，如以屠呦呦为代表的中国科学家，在继承传统中医临床经验的基础上，运用现代科学手段提取出一种高效低毒的抗疟疾新药青蒿素。青蒿素药物用于临床后，挽救了成千上万患者的生命，为人类健康做出了巨大贡献。水稻是世界的主要粮食作物之一，是全世界约一半人的主食，袁隆平发明的超级水稻栽培技术堪称世界级的原创性重大发明。王选创立的汉字激光照排技术是中国现代印刷技术史上的重大发明，对科学和文化的传播起到了重要的促进作用。文化自觉是一个艰巨的过程，一方面要认识我们的技术文化传统，增强文化的认同感和自信心，另一方面也要更新和转化我们的文化传统与科技，使传统技术与外来的近现代科技对接和融合，同时也使现代科技在中国扎根并得到长足发展。

发明与发现是人类社会文明发展内在的原生性动力。中国古代科技有着辉煌的成就，我们的先人对世界文明的进步做出了重要贡献。百余年来，中国一直处于社会剧烈变化和文化转型时期，重大发明创造不多也在情理之中。我们应当在珍惜、重视民族文化传统与历史经验的同时，掌握文化转型与科技发展的主动权，不断提升自主创新能力，为人类科技和文明的发展做出更大的贡献。从历史的长时段发展趋势看，中国科学技术已进入新的加速发展期，中国人的创新意识和创新能力已被激活，今后原创性的发明创造会越来越多，中国科技的繁荣昌盛是可以期待的。

中国历史上究竟有多少重大发明，是一个仁者见仁、智者见智的问题，难免会存在不同的说法或争议。我们希望本套书的出版能够引起更多专家和读者的关注并参与探讨和切磋，进一步完善相关问题的研究，也欢迎学界同仁和广大读者对我们的工作惠予指正。

华觉明　冯立昇

2021年7月28日

目 录

引　言

　　文字是人类文明史上具有里程碑意义的重大发明。

　　发明文字并使其进化为充分记录语言信息的工具，对人类个体获得社会整体在漫长的历史岁月中创造积累起来的经验和知识具有重要的作用，从而促进和加速了文明的进程。

　　世界上许多国家使用的拼音文字是从古代巴比伦人发明的楔形文字演变出来的，而中国及其一些邻近国家所用的文字是与拼音文字有很大不同的汉字。汉字有其独特的源头，而且历经数千年延绵不衰，对中华文化的形成、发展和传承起到了不可替代的作用。

一、汉字通论

　　汉字是汉语的记录符号。这里所说的"汉"，不能简单地理解成汉族或汉代，因为汉族和汉代的历史相对较晚，而汉字的出现和使用却要早得多。

　　我们通常所说的汉语和汉字，最早是指以华夏族为主体、主要活动范围在今天中国版图之内的各族人民所使用的语言和文字。

　　比如，春秋战国时代，礼崩乐坏，列国纷争，很多国家和民族都有自己的文字，齐有齐文字，楚有楚文字，今天的古文字学家可以很清楚地指出它们之间的区别，但是从文字发展史来看，这些文字仍在汉字的研究范畴之内。

　　汉字有古今之分。

　　文字学界一般以小篆作为古今文字的分水岭，小篆以前的文字统称为古文字，包括甲骨文、金文、战国文字、秦小篆等等。秦以后，汉字的形体基本定型，官方使用篆书，民间多习用隶书。

由篆及隶，是汉字发展史上的一个里程碑，从此以后，汉字的字形不再像古文字那样在外形上变化多端，文字的构形与表意功能日趋稳定，只在书体风格上加以变化。

关于汉字的起源，有许多故事与传说。

据唐人所撰《墨薮》记载：

一太昊庖牺氏获景龙之瑞，始作龙书。

二炎帝神农氏因上党羊头山始生嘉禾八穗，作八穗书，用颁行时令。

三黄帝史苍颉写鸟迹为文，作篆书。

四因卿云作云书，亦黄帝时也。

五少昊金天氏作鸾凤书，以鸟纪官、文章、衣服，取象古文。

……

八帝尧陶唐氏因轩辕灵龟负图作龟书。

九夏后氏作钟鼎书，以钟鼎形为象也。

……

这其中流传最为深远的，又首推仓颉作书。

《吕氏春秋·君守》："奚仲作车，仓颉作书，后稷作稼，皋陶作刑，昆吾作陶，夏鲧作城，此六人者所作，当矣。"

从汉代起，这一传说还逐渐加入一些神秘色彩：

《淮南子·本经》："昔者仓颉作书，而天雨粟，鬼夜哭。"

仓颉作书的传说在汉代很流行，在出土文物上也有所体现。不仅画像石中有仓颉的图像及榜题（**图1.1**），近些年出土的汉简中也屡见"仓颉作书，以教后嗣"之语，东汉三国时期的铜镜上还铸有"仓颉作书，以教后生，遂

（燧）人造火，五味"的铭文（**图1.2**）。

传说仓颉是黄帝时候的史官，由于工作性质的缘故，应该会比一般人接触到更多的文字。根据今天学者们的研究，仓颉造字未必完全可信，不过任何重大的发明创造都源自民众，又与杰出人物的贡献密不可分，汉字虽不可能成于一人之手，但在某一时期经由官方进行系统的整理则极有可能。

在目前已知的使用过的汉字系统中，殷墟甲骨文是考古出土中最早的文字，无论从文字数量还是使用规模上都蔚为大观。但从文字结构、构字理据等方面考察，殷墟甲骨文其实已相当成熟，不太可能是汉字的原始阶段。

由甲骨文上溯，探寻汉字起源及早期的演变过程，考古学无疑是极为有效的手段。在与此有关的一系列考古发掘中，河南省舞阳县贾湖村裴李岗文化遗址出土的龟甲、

图 1.1　山东沂南北寨将军冢仓颉画像石

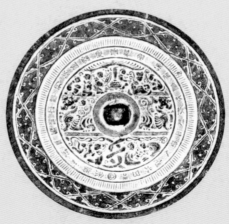

图 1.2　西安出土仓颉铭铜镜拓本

骨器上的刻画符号，特别引人注目。

其中，龟腹甲上的眼睛造型与甲骨文的"目"字完全相同（**图**1.3）、门户造型与甲骨文的"户"字极为相似等，应非出于偶然。

中国社会科学院考古研究所放射性实验室测定了贾湖裴李岗遗址出土的木炭标本，其年代距今7000—8000年，其中出土带有符号龟甲的墓葬年代早于公元前6200年，比

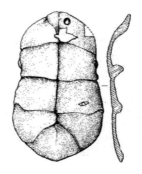

图 1.3　舞阳贾湖裴李岗文化遗址出土的刻符龟甲

传说中的黄帝、仓颉的时代还要早1000年以上。所以，在黄帝时代进行文字收集、整理与规范的工作是完全可能的。

不过，贾湖裴李岗遗址出土的到底是文字还是符号，学界尚有争议。今天的人们要想系统地研究古文字，还是得以距今3000多年的殷商甲骨文作为主要素材。

甲骨文又称"契文""甲骨卜辞"或"龟甲兽骨文"，主要是指刻在龟的腹甲、背甲或牛胛骨（偶尔也用其他兽骨）上的一种文字（**图1.4—图1.6**）。

商代统治者非常迷信鬼神，遇到大事要用龟甲、兽骨进行占卜，并将占卜的内容（有时也把占卜的结果）用文字刻在甲骨的卜兆旁。

因此，甲骨文和今天的公文一样，也有固定的格式。其内容大多与祭祀、田猎、风雨、战争、疾病等相关，记录和反映了商朝的政治、经济和军事情况。

 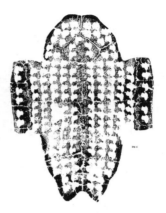

图 1.4　甲骨文合集 376 正　　　　图 1.5　甲骨文合集 376 反

图 1.6　甲骨文合集补编 1804 正

　　需要说明的是，作为文字载体的殷墟甲骨在相当长
的一段时期内是被后世当作药材处理的，为彰显其特殊价
值，被人们尊称为"龙骨"。直到19世纪末，一位名叫王
懿荣（**图1.7**）的清朝官员因生病吃药，偶然发现上面的
文字并高价予以收集，沉睡了几千年的甲骨文才逐渐走进
人们的视野。

　　据说，在王氏发现甲骨文之前，药商们早就发现了甲

图 1.7　　王懿荣画像

骨上的刻痕，但大都视为不祥之物，为方便出售，往往要将上面的文字刮去。这样看来，王氏治病时见到的甲骨文竟然还是"漏网之鱼"。在此之前，不知已有多少甲骨文被人们吃到了肚子里。

如今，对甲骨文进行科学的研究已成为一门独立的学科。王氏之后，刘鹗、罗振玉等人先后从事过甲骨的收集、整理工作（**图1.8**）。王国维、郭沫若、董作宾、胡厚宣、于省吾、裘锡圭、黄天树、林沄、刘钊等学者在甲骨文字考释方面更是功不可没。

其中，罗振玉号雪堂，王国维号观堂，郭沫若字鼎堂，董作宾字彦堂，因他们的字或号中都带有一个"堂"字，为纪念他们在甲骨文研究领域的贡献，今天的学者们又尊称他们为"甲骨四堂"（**图1.9**）。经过他们的研究，现在甲骨文已不再是无人难解的"天书"，商王的世

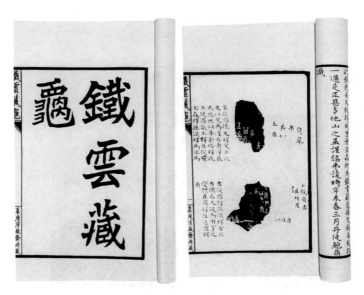

图 1.8　刘鹗的《铁云藏龟》书影

系逐渐成为信史。

　　据不完全统计，迄今已发现的商代甲骨在十五万片以上，文字在四千以上，但为学者所确识者尚不足三分之一。不过，那些难以确识的大多为人名、地名以及祭祀方式，并不影响学者对其内容的整体把握。这些甲骨多出自河南安阳，在新中国建立以前，因盗掘、买卖等各种原

图 1.9　"甲骨四堂"照片

因，流散于许多国家及城市，如今很多地区的博物馆里都有甲骨陈列、展览。

早期的商王朝曾频繁迁都。据史料记载，商朝前后共有13次迁都，直到商王盘庚将国都从山东的奄迁至河南的殷，才告稳定。在此后的273年间，殷逐渐成为商人的政治、经济与文化中心，先后有八代十二位商王在这里执掌政权，发布政令。殷也成为当时人们眼中大都会的象征，商人曾不无自豪地将之称为"大邑商"，而其他民族则习惯直接称他们为"殷商"，其中的"殷"最初指的便是商人的国都。

公元前11世纪的一个早晨，来自商朝西部边陲的周武王率领诸侯联军与强大的商朝军队在离国都不远的牧野地区进行决战，史称"牧野之战"。穷兵黩武的商纣王最终兵败自焚，商朝随之灭亡①，曾经繁华无比的殷都在一片大火中沦为废墟，后世称之为"殷墟"。

殷墟位于今天的河南省安阳市西北郊，横跨洹河两岸，地域宽广，地理位置极为重要。根据司马迁在《史记》中的记载，初出茅庐的楚霸王项羽在巨鹿一战成名后，曾代表诸侯联军在洹水南面的殷墟与秦国大将章邯会盟，接受了几十万秦军的投降，最终加速了暴秦的灭亡。

20世纪以来，考古学家们通过考古发掘在殷墟发现了极为丰富的商代文化遗存，除数以万计的甲骨外，还有无数珍贵的青铜器（包括著名的后母辛方鼎、妇好扁足方鼎、妇好铜三联甗、扁足方鼎、偶方彝等），各种精美的玉器、象牙器，50多座宫殿遗址，以及王陵区遗址、平

---

① 纣王之子武庚虽获封诸侯，但实际上已沦为周人臣僚，商已不再是一个统治天下的王朝。

图 1.10　安阳殷墟考古发掘

民区遗址、铸铜遗址、手工作坊遗址和大型祭祀场等（**图 1.10**）。

　　过去一说到甲骨文，许多人就望而生畏，将之比作天书。其实这是完全没有必要的。甲骨文虽然神奇，但并不神秘，不过，释读甲骨文字确实与释读其他文明古国，如古埃及的圣书文字、苏美尔人的楔形文字有所不同。这主要是因为甲骨文并不像其他国家的古文字那样久已湮没，难以传袭辨识。殷商时期的文字，是周秦战国文字的前身，许多汉字在音、形、义方面或一脉相承，或有迹可循。汉字的传承与中国古代文明的发展一样事实上从未断绝过。

另外，中国历朝历代都很重视对文字的规范与整理工作。比如，秦有"三仓"（即李斯的《仓颉篇》、赵高的《爰历篇》、胡毋敬的《博学篇》），汉有《说文解字》，魏晋时，又将李斯的《仓颉篇》、扬雄的《训纂篇》、贾鲂的《滂喜篇》合为一部（亦称"三仓"），向社会推广，唐代有《干禄字书》，辽宋有《龙龛手镜》（**图1.11，收2万余字**），明代有《字汇》（**收3万余字**），清代有《康熙字典》（**收4万余字**），加上一些"古文奇字"的传流辑集，如《汗简》《古文四声韵》等，都为解读甲骨文字提供了重要的考释依据。

除殷人外，根据考古发现，周民族当时也曾使用过甲

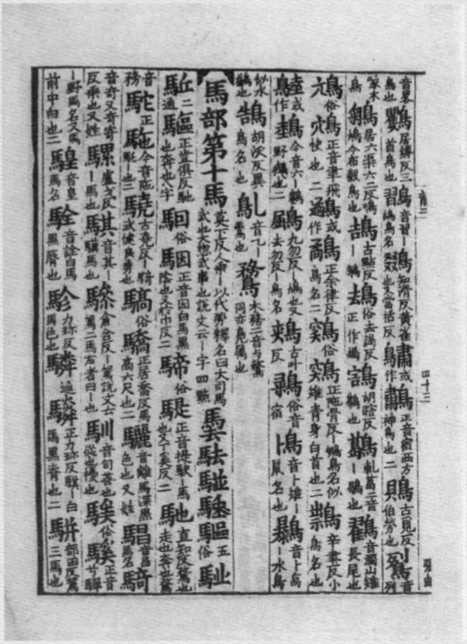

图 1.11 　《龙龛手镜》书影

图 1.12 　周原甲骨

骨文（**图1.12**）。

1977年，在陕西省岐山县凤雏村一座西周建筑遗址的窖穴内出土了13600余片龟腹甲、300余片牛的肩胛骨，其中289片龟腹甲上刻有文字，每片字数多寡不等，少的1字，多的30字。

1979年，在陕西省扶风县齐家村又采集到22片甲骨，内有6片刻有文字。

岐山南麓的岐山县与扶风县一带古称"周原"，是周人灭商前的都城所在地。此地出土的刻辞龟甲与《诗经·大雅·绵》中"周原膴膴，堇荼如饴。爰始爰谋，爰契我龟"的记载契合，故学者们称之为"周原甲骨"。

甲骨文的创造与使用，充分体现了先民的智慧。

以其中的象形字为例，"日"（◉）字象太阳之形，"月"（☽）字象弦月之形，"龟"（🐢）字象乌龟的侧面，"牛"（🐮）字象牛的正面，"马"（🐴）字突出了马鬃和马尾，"兔"（🐰）字则突出了兔尾短小的特点，类似的还有"车"（🚗）字描绘了车轮、车轴和车舆，"火"（🔥）字描绘了燃烧的火苗。象形字虽看似简单，但如果对自然界事物没有细致的观察与总结，也是很难临摹与仿造的。

据专家研究，象形字的来源可能与早期的刻画符号有关，作为一种最原始的造字方法，这种文字图画性强，符号性弱，应该是在人类文明肇始阶段创造和推广的一种文字。

从世界范围来看，除商周的甲骨文外，还有不少文明古国和民族也都先后创造和使用过象形文字，如古埃及的圣书文字（**图**1.13）、苏美尔人的楔形文字（**图**1.14）、古印度的"哈拉本"印章文字（**图**1.15）等。而我国境内，除汉族之外，云南纳西族大祭师所使用的东巴文（**图 1.16**）、水族所使用的水文（**图1.17**）中也都不同程度地保留着大量的象形文字。

当然，象形字本身也有巨大的局限性，有些实体事物和抽象事物是画不出来的，如大、小、多、少、厚、薄等。于是聪明的古人发明了其他一些办法来表示这些字，汉代的学者将其归纳为指事、会意、形声、转注、假借，加上之前的象形，统称"六书"，或称"四体二用"（转注、假借为用字法，其余四种为造字法）。

不过，这些新的造字方法，有的仍须建立在象形字的基础之上，通过增加形符或声符而构成新的文字。在已发现的殷墟甲骨文里，"四体"的造字方式都已出现，而其中大量形声字的使用则说明甲骨文已是一种相当成熟的文字，这种造字法也成为之后历代最主要的造字方法。

图 1.13　古埃及的圣书文字　　　图 1.14　苏美尔人的楔形文字

图 1.15　古印度的"哈拉本"印章 图 1.16　纳西族东巴文《创世经》
文字

图 1.17　水族水文

图 1.18　后母戊鼎　　　　　　　　图 1.19　后母戊鼎铭文

　　根据出土资料，人们发现殷商时代的贵族除在甲骨上刻画文字外，还在青铜器上铸有文字（**图1.18**、**图1.19**）。

　　古代以祭祀为吉礼，《左传》中总结说"国之大事，唯祀与戎"，故青铜祭器又被称为"吉金"，以青铜器为载体的文字则被称作"吉金文字"，或简称"金文""铭文"。当前学术界还有一种观点，认为"吉"字的本意是指坚硬，而非吉祥，吉金是形容青铜器坚久耐用之意，这种解释也很有道理。

　　与甲骨文主要发现于商朝王都的情况不同，商代青铜器的分布地域要广阔得多，南至长江以南、西至甘肃、东至山东、东北至辽宁都有出土，除河南安阳殷墟外，在安徽的阜阳（**图**1.20）、湖北的盘龙城（**图**1.21）、湖南的宁乡（**图**1.22）、江西的大洋洲（**图**1.23）、山东的苏埠

图 1.20　安徽阜阳出土的龙虎尊　　图 1.21　湖北盘龙城出土的青铜器

图 1.22　湖南出土的四羊方尊

图 1.23　江西大洋洲出土的铜甗

图 1.24　山东苏埠屯出土的青铜鼎

图 1.25　山西石楼出土的青铜鸮卣

图 1.26　山西石楼出土的龙形觥

屯（**图1.24**）、山西的石楼（**图1.25**、**图1.26**）等地都曾发现过大批重要的青铜器。这些地区或曾受商人管辖，或与商人有过交往，今天，人们在博物馆的展柜前欣赏这些精美的器物时，仍然能发现当年文明交流、文化共融的痕迹。

　　一般认为在甲骨文与金文并用的殷商时代，前者代表的是一种占卜文化，后者代表的是祭祀文化。甲骨文相对于金文可视为俗体字，因为金文典雅、庄重，有的甚至不惜工本加以繁化、美化。

　　进入西周后，青铜器不仅形制、纹饰发生重大变化（**如流行带座簋，图1.27**），而且长篇铭文逐渐增多，如现藏于台北"故宫博物院"的毛公鼎铭文竟然多达497个字（**图1.28**）。在内容方面，与殷商金文的祭祀、自名作用相比，西周金文内容更加丰富多样，更注重现世的辉煌（**图1.29—图1.31**）。

图 1.27　西周禽簋

　　过去，金文还常被人们称作"钟鼎文"，这主要是因为在商周盛行的青铜器中，礼器以"鼎"为代表，乐器以"钟"为代表，同时钟、鼎因器形硕大而承载了更多的铭文，所以更具代表性。过去以专门研究青铜器为主要内容的学科，也被称为金石学。

　　金石学由宋人首创，主要研究金、石铭刻，金以铜器为主但不限于铜，凡是金属物品上的铭文皆在收集之列。

　　在周代金文中，还有一类特殊形体的文字——鸟虫书。

　　鸟虫书，也称"鸟虫篆"，大致肇端于春秋中后期，

图 1.28　毛公鼎局部拓本

图 1.29　大盂鼎拓本　铭文记载周康王向大臣盂叙述周文王、周武王的立国经验

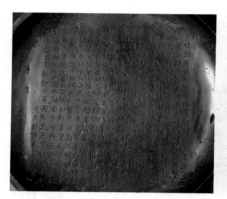

图 1.30 散氏盘铭文照片

图 1.31 散氏盘铭文拓本

至战国时大盛，主要流行于长江中下游地区，影响及于中原一带。吴、越、楚、蔡、徐、宋等国的青铜器上都发现有这种文字（**图1.32**），其特点是常以错金形式出现，在篆书的基础上回环盘曲，有的将文字与鸟形融为一体，或在字旁加鸟形为饰，如越王勾践剑铭（**图1.33**）、越王州勾剑铭。有的笔画蜿蜒盘曲，中部鼓起，首尾出尖，长脚下垂，仿若虫类躯体之弯曲，如春秋晚期楚王子午鼎铭（**图1.34**、**图1.35**），变化多端，颇难辨识。

鸟虫书是变形的装饰文字，并非另一种文字系统。而

图 1.32　宋公栾错金戈

图 1.33　越王勾践剑铭

图 1.34　楚王子午鼎

图 1.35　楚王子午鼎器身铭文拓本

且，鸟虫书制作华丽工细，使用范围却极为有限。今天所能见到的鸟虫书主要是青铜器铭文，尤以兵器为多，少数见于容器（**图**1.36—**图**1.38）、玺印（**图**1.39）。秦汉以后，鸟虫书使用渐少，不过在有些时代的碑额上仍可偶见。

春秋以前，铜器铭文绝大部分是和器物一起铸成的，战国中期以后则往往是在器物制成以后用刀刻出来的，如秦国的兵器铭文基本上都由刀刻成（**图**1.40），这又是一种变化，同时也是辨别青铜器真伪的重要参考之一。

春秋战国时期使用的文字除见于铜器外，还有其他一些载体，这里简单介绍几种。

（1）玺印文字（**图**1.41）。据古书记载，至迟在春秋时代已经开始使用玺印。战国时代各国的官、私玺印遗留下来的很多，这些玺印大多数为铜质，常见的还有银质和玉质。

图 1.36　河北出土的西汉鸟虫篆铜壶

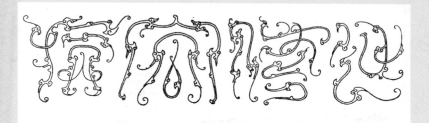

图 1.37　西汉鸟虫篆铜壶甲壶腹铭摹本（局部）

图 1.38　西汉鸟虫篆铜壶乙壶腹铭摹本（局部）

图 1.39　西汉　刘慎　鸟虫书
覆斗钮玉印（现藏徐州博物馆）

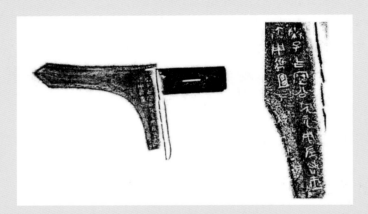

图 1.40　秦子戈拓本

图 1.41　玺印文字

（2）货币文字。主要是使用在钱币上的文字。东周时诸侯林立，列国纷争，因此钱币的形制也复杂多样（**图 1.42**）。考古出土的主要有布币（铲形）、刀币、圆钱、蚁鼻钱（海贝形）四大类。布币主要行用于三晋和燕；刀币主要流通于赵、燕、齐；圆钱出现较晚，各国似乎都有使用；蚁鼻钱则只流行于楚。货币上多数铸有地名，应是发行货币的城市之名，有的还铸有标明重量或价值的文字

秦半两

楚国金币

韩国布币

燕国刀币

齐国刀币

魏国布币

赵国布币

图 1.42　战国时各诸侯国所用货币示意图

（**图1.43**）。个别货币，如蚁鼻钱上的文字，含义至今仍难明白。

（3）陶文。战国时代的陶器上往往带有文字。已发现的陶文，多数是在陶器烧制之前用玺印打上去的，少数则是在烧制前或烧成后刻画上去的。已发现的东方六国的陶文，以齐、燕两国数量最多（**图1.44**）。

图 1.43　战国布币　阴晋　一釿　　图 1.44　陈介祺藏战国陶文

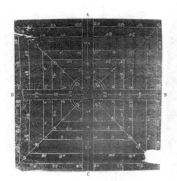

图 1.45　湖北荆门左冢楚墓漆棋局

图 1.46　曾侯乙墓二十八星宿漆箱

（4）漆器文字。战国时期，秦、楚等国的漆器上往往有烙印和刻画出来的文字，比较有名的如荆门左冢楚墓漆棋局（**图1.45**）、曾侯乙墓二十八星宿漆箱（**图1.46**）。西汉前期的漆器上也屡见文字，一般都是篆文。

（5）玉石文字。在春秋战国时期的玉、石上，有时也会书写或刻画文字。如1965年山西出土的春秋时期的侯马盟书（**图1.47**），便是在玉版上用毛笔写下盟誓之词，形式有朱书

图 1.47　侯马盟书及摹本

图 1.48　温县盟书

和墨书两种（二者不同坑），笔锋清丽，提按有致。它见证了春秋末期晋国内部由六卿纷争到四卿并立的残酷斗争，正是这场政治斗争最终导致"三家分晋"，拉开了战国时代的序幕。

后来，在河南温县西张计村又发现了大量墨笔书写的盟书，时代与侯马盟书相近，学界称之为"温县盟书"（**图1.48**）。

据说，20世纪40年代初，这一带也曾出土过这种玉书，当时有人称为"沁阳玉简"。此外，比较著名的玉石文字材料还有出自秦人之手的石鼓文（**图1.49**）、诅楚文以及秦祷病玉版（**图1.50**、**图1.51**）。

（6）简帛文字。在植物纤维纸普及之前，简和帛是古人最常用的书写材料。根据学者研究，简至迟在商初就已使用，帛用作书写材料也许要稍迟一些。由于简、帛都很容易损坏、腐烂，所以早期的简帛文字很难保存下来，只在文献中有零星的记载，现今已发现的简帛文字数战国时代的楚简最早（**图1.52**）。

已发现的楚简皆用毛笔蘸墨书写，内容较多见的是

图 1.49　石鼓文

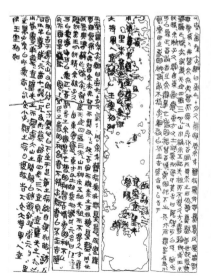

图 1.51　秦祷病玉版铭文摹本

图 1.50　秦祷病玉版（正面）

图 1.52　考古出土简帛照片

关于随葬器物或送葬车马的记录，此外还有占卜的记录、司法文书，以及与《尚书》《逸周书》《诗经》《周易》《道德经》等或存世或散佚的古书有关的文献内容（**图1.53—图1.56**）。

有成篇文字的战国帛书，迄今只发现了一件，传说是从湖南省长沙市东郊子弹库战国楚墓中盗掘出土的，因此也被称为"楚帛书"或"楚缯书"。

可惜的是，该帛书在20世纪50年代前就已流入美国，现存放在华盛顿的赛克勒美术馆。上面可以辨识的墨书文

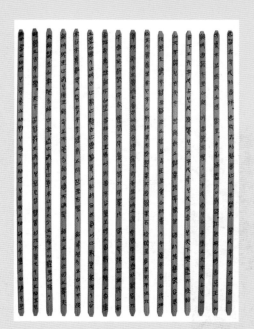

图 1.53 郭店出土楚简 《老子》节选

图 1.54 上海博物馆藏战国楚简《周易》节选

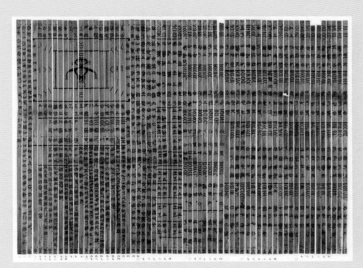

图 1.55　清华大学藏战国楚简《筮法》

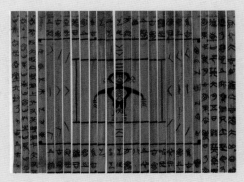

图 1.56　清华大学藏战国楚简《筮法》局部

字有900多个，文字四周绘有12个怪异的神像，学者推测这些神像代表的是楚人观念中的十二月神，与《尔雅》中的记载恰好可以对应。帛书四角有用青、红、白、黑四种颜色描绘的树木图像，内容为天象、灾变、四时运转和月令禁忌等楚地流传的神话与禁忌（**图**1.57）。

秦统一天下之后，在全国范围内推行小篆，在度量衡上皆刻有文字（**图**1.58—**图**1.60）。始皇帝周游天下，在峄山、泰山、琅琊台、碣石、会稽等地勒石铭功。秦二世时又在诏版上加刻诏书，来说明这些石头上的文字是始皇帝刻的。这些刻石和诏书都是研究小篆的最好资料，可惜原物几乎全已毁坏，只有部分残块存留，以及一些摹刻本传世（**图**1.61）。

《说文解字》收集了9000多个小篆，是最丰富、最成系统的秦系文字资料（**图**1.62）。不过，《说文解字》成

图 1.57 长沙子弹库战国楚帛书

图 1.58 秦始皇诏版（陕西历史博物馆藏）

图 1.59 秦始皇大驒铜权拓本

图 1.60　秦二世铜诏版

图 1.61　泰山刻石拓本　　图 1.62　《说文解字》书影

书于东汉中期，当时人所写的小篆字形已有不少错讹。此外，包括许慎在内的学者受当时的社会环境所限，对小篆的字形结构免不了有些错误的理解，这又导致了书中对小篆字形的错改。

《说文解字》成书以后，历代屡经传抄、刊刻，经过书手、刻工以及一些不高明的校勘者时又造成了一些错误。因此，《说文解字》中的小篆有一部分字形是不可靠的，需要用秦汉金石等实物上的小篆加以校正。

20世纪70年代以后，以简帛为载体的秦简大量出土，为我们研究秦代文字提供了重要资料。比较著名的如1975年年底湖北云梦出土的睡虎地秦简，有竹简1100多支，内容有秦律、《日书》和大事记等（**图1.63**）。之后，1979年四川省青川县出土了秦代抄有法律文书的木牍，1986年甘肃省天水放马滩战国晚期秦墓里又出土了460多枚竹简

图 1.63　睡虎地秦简

以及四块注有文字的木板地图（**图1.64**）。

　　2002年，湖南省里耶古城遗址出土了38000余枚秦简（**图1.65**），其中有字的多达18000枚左右，大大超过历年来出土总和。此后，湖南大学岳麓书院和北京大学都先后购藏一批秦简，内容也都十分重要。

图 1.64　天水放马滩秦墓出土的地图

图 1.65　里耶秦简局部

　　据学者们研究，春秋战国时代的秦文字是逐渐演变为小篆的，小篆跟统一之前的秦国文字之间并不存在截然分别的界限。"大篆""秦篆"和"小篆"等名称是从汉代才开始使用的，秦代大概只有"篆"这种字体的总称。

　　"篆"跟"瑑"同音，"瑑"是雕刻为文的意思，《吕氏春秋·慎势》："功名著乎盘盂，铭篆著乎壶鉴。"铭篆指镌刻在器物上的铭文，在当时人的心目中，隶书是不登大雅之堂的字体，只有篆文才有资格铭刻于金石，流芳于世。

　　早在春秋时期，秦国文字在风格上已与其他国家的文字有了相当显著的区别。进入战国以后，东方各国文字的变化加剧，与秦文字的差异也就愈发突出。文字异形的现象极大地影响了各地区在经济、文化等方面的交流，而且不利于秦王朝对本土以外的统治，所以秦统一以后，迅速推行"书同文"的政策，以秦国文字为标准来统一全中国的文字。实际上早在此之前，秦国已经在新占领区逐步进行这项工作，这从各地出土的文字资料上可以得到验证。

不过，人们的书写习惯是在长期实践中形成的。所以，可以想见，秦王朝要改变被征服地区民众的书写习惯，肯定不会很容易。

今天学者们根据出土的文字材料发现，虽然秦王朝通过严刑峻法迅速完成了统一文字的工作，但六国文字的影响并未完全消失，如西汉早期的简帛上仍大量保留着楚文字的遗迹。但不管如何，秦王朝的这一做法，还是基本上消除了当时社会上文字异形的状况，在汉字发展史上占有十分重要的地位。

从秦王朝以后，在中国版图范围内，无论是官方还是民间，都逐渐使用统一的文字作为记录语言和进行社会交往的工具，汉字在加强各民族交往、增强汉民族认同感方面的作用功不可没。

到了汉代，隶书取代小篆成为主要字体，汉字发展从此脱离了古文字阶段而进入隶楷阶段。《汉书·艺文志》说隶书始于秦代，是为应付繁忙的官狱事项而造的简便字体，其实事实并非如此。

从考古发现的秦系文字资料来看，隶书形成于战国晚期。

当时的秦国人在日常使用的汉字中，已经为了书写的方便而不断地破坏、改造正体的字形，由此产生了秦国文字的俗体。在秦国文字的俗体里，用方折的笔法改变正规篆文的圆转颇为流行，这已经具有了浓厚的隶书味道。

在秦孝公时代的铭文里，已经可以看到正体和俗体并存的情况，而仔细观察睡虎地秦简上的文字，可以知道在这批竹简的抄写时代，隶书已经基本形成。虽然秦简所代表的隶书尚未完全成熟，还只是一种新兴的辅助字体，但隶书的书写显然要比小篆方便得多，所以很快就得到了迅速的发展。

一般认为，西汉武帝时代是隶书由不成熟发展到成熟的阶段，由此而将秦代和西汉早期的隶书称为早期隶书。早期隶书是一种尚未成熟的隶书，很多字形明显地接近篆文（**图1.66—图1.70**），武帝晚期以后，这种现象才逐渐减少。

汉隶也称八分。这个名称大概在汉魏之际就已经出现了。

当时（大约从东汉中期开始），从日常使用的隶书里演变出了一种比较简便的俗体，其面貌跟正规的隶书有显著的区别，所以有必要为之前正规的隶书另起一个名字，

图 1.66　马王堆汉墓帛书《老子》局部

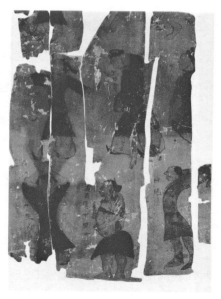

图 1.67　马王堆汉墓帛书《导引图》局部

图 1.68 马王堆汉墓帛书《天文气象杂占》局部

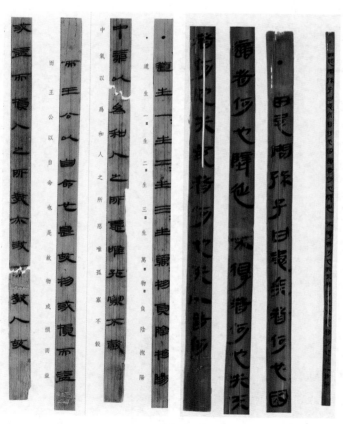

图 1.69　北大汉简《老子》局部　　图 1.70　银雀山汉简《孙膑兵法》局部

"八分"的称呼因此而出现。直到唐代，一般人还是习惯把当时通行的字体（即楷书）称为隶书，而把汉隶称为八分。在文字发展史上，汉隶也称分书、分隶，这两种名称都是从八分之名派生出来的。

在汉字形体演变的过程里，由篆变隶是最重要的一次变革。这次变革使汉字的面貌发生了极大的变化，对汉字的结构也产生了很大影响，如解散篆体，改曲为直，大量省并、省略篆文笔画等（**图1.71**）。

汉代使用的字体，除隶书之外还有草书（**图1.72—图1.74**）。

草书有广义和狭义的区别。

广义的草书，无论时代早晚，凡是写得潦草的字都可以算作草书；狭义的草书，即汉代才形成的作为一种特定字体的草书。

图 1.71 曹全碑局部

图 1.72 敦煌汉简

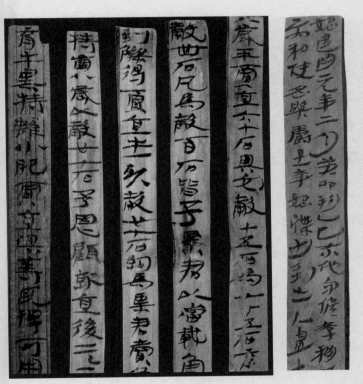

图 1.73　居延汉简局部

图 1.74　肩水金关汉简局部

　　大约从东晋开始，为了跟当时的新体草书相区别，称汉代的草书为"章草"，而称新体草书为"今草"。

　　"章"有章法、条理之意，"章草"大约是因为书法比"今草"规矩而得名。

　　草书的形成比八分稍晚一些，不过，作为草书形成基础的草率的隶书俗体，很早就存在了。一般认为章草和八分分别由隶书的俗体和正体发展而来，这跟战国时期秦国文字的正体演变成小篆、俗体发展成为隶书的情况颇为相似。

　　草书作为辅助隶书的一种简便字体，除主要用于起草文稿和书信外，还深受书法家青睐，据说当时有好几位书法家用章草写过《急就篇》，现在仅有临摹本流传下来。

　　今天，人们从出土的汉简上还能看到当时人写的草书案牍，这是很幸运的。不过，草书字形太过简单，又容易混淆，终究不可能取代隶书而成为主要的字体。

东汉晚期还出现了一种新字体——行书。

今天人们所熟悉的行书是一种介于楷书和今草之间的字体，根据专家推测，行书可能是由于书写时行笔较快而得名的（**图**1.75）。

进入南北朝之后，楷书终于成了主要字体（**图** 1.76）。

"楷"有楷模的意思，所以"楷书"的原意很可能是指可以作为楷模的字，而非某种字体的专名。

汉字进入楷书阶段以后，字形还在继续简化，由于书写者习惯不同，于是产生了大量的俗体字、异体字，但字体已没有太大的变化了。许多后世的字书，如《玉篇》《龙龛手镜》等就收录了大量正体之外的俗体字。

以上就是汉字从产生到定型的主要历程。

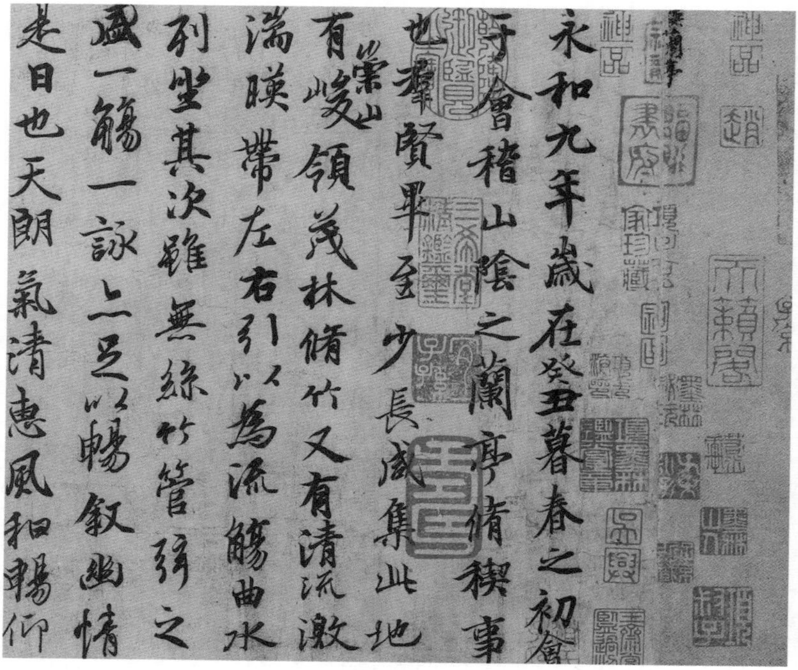
永和九年歲在癸丑暮春之初會
于會稽山陰之蘭亭脩稧事
也羣賢畢至少長咸集此地
有崇山峻領茂林脩竹又有清流激
湍暎帶左右引以為流觴曲水
列坐其次雖無絲竹管絃之
盛一觴一詠亦足以暢敘幽情
是日也天朗氣清惠風和暢仰

图 1.75 《兰亭集序》局部

图 1.76　颜真卿多宝塔碑拓本局部

从这个漫长的历程中，不难发现汉字的发展变化规律，即在形体上逐渐由图形变为笔画，由复杂变为简单；在造字原则上从象形、表义为主到以形声为主；在总字数上由少到多，但常用字始终在三四千字。

值得一提的是，在新文化运动以后，社会上曾经流传过汉字落后，应该淘汰的观点。

如老舍先生就曾说："中国字难认，更难写，不设法改掉它，教育便永不易发展。"

直到近些年，还有许多人认为拼音文字比汉字优越，有的汉字笔画太多不便于书写，许多汉字一字多义也不利于汉字、汉语的学习等。

这些看法未必妥当。

一方面，用汉字记录汉语，有其语言学上的道理。

汉语与其他语系不同，在拼音文字中一个书写单位可以代表一个词，但在汉字里，字跟词往往不是一对一的关系。汉语中单音节语素占优势，同音语素又很多，记录这样的语言，使用汉字这种类型的文字体系显然是比较适宜的。而且汉字的音、形、义相结合的构成方式，有利于使用者"望文生义"，迅速地对同音字加以区分。

　　这一点在形声字中表现得更加明显，如"盉"与"龢"虽然发音相同，但是人们可以根据其所从义符的不同，迅速知道"盉"与器皿相关，而"龢"则与乐器相关。

　　另一方面，每一种文字在记录语言时，都有长期的实践过程，需符合人们的语言习惯及思维方式。

　　在几千年的发展变化中，汉字与汉语相互影响、相互渗透，正如语言对于思维的塑造一样，汉字对于人们的思维同样有塑造作用。人们造字时，往往把自己的生活经验和各种思想置于其中，后人在学习、使用这些文字时，不仅是使用这一交际工具，同时还是学习和继承前人的生活经验和各类思想。

　　如协同的"协"字，过去写作"協"，从心，从劦，劦亦表声，正是表达了要人们齐心协力、力往一处使的深意。

也正是因为汉字在塑造思维方面有潜移默化的作用，所以当人们学习、使用汉字时便不知不觉地接受了汉字所书写的文明和文化，增强了文化认同和心理认同。所以，书同文的政策对于增强民族认同感、促进民族融合意义重大，对于中华民族的形成与凝聚功不可没。

此外，汉字还具有实用性与创新性的特点。

以《康熙字典》为例（**图1.77**），书中虽收录了47000多个汉字，但若仔细翻看的话，不难发现其中大部分历史上曾用过的汉字现今都已不再使用。

这说明汉字在使用过程中，也有一个与时俱进、自我淘汰的过程。这也是为什么其他各文明古国的文字先后衰落，而汉字却仍然能一枝独秀的主要原因。汉字自身强大的创新性和实用性，使它在任何朝代都能很好地满足不同

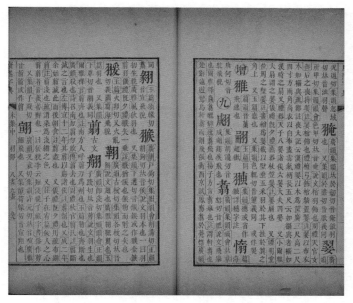

图 1.77　《康熙字典》书影

群体阶层的使用需求。

　　简单来说，几千年来汉字虽历经变化，但每个时代的常用字总数却基本固定，大约3000字。社会在发展，人们使用文字时所需要记录的内容越来越多，这就要求汉字必须拥有一种强大的力量，与时俱进，在常用字的基础上不断地分化出新字，兼并整合旧字，淘汰生僻字和易错字，从而完成整个语言文字系统的更新与发展。

　　更为神奇的是，文字本应是记录语言的工具，但是汉字与汉语在发展中却并不完全对等。汉字除如实地记录生活中所用到的汉语外，还有能力孳乳出新的成体系的文字。如宋人使用的符咒文、清代的女书，它们都与汉字相关，却另有自己的形音义系统，虽然使用范围有限，但却可以满足相关群体的需求。这也是汉字强大生命力的一个表现。

　　随着研究的深入，语言文字学家们发现汉字的功能远比人们所能想象的还要强大。

　　随着社会经济的发展，打字机在国内逐渐普及，但是由于技术的限制，只能使用英文输入，汉字输入被排斥在新潮流之外。然而近年随着技术的革新，人们突然发现汉字不仅可以输入电脑，进行排版、打印，而且现在的汉字输入法在记录语言时远比英文输入法要快速得多。

　　此外，汉字由于常用字的数量基本是固定的（2500个），属于各语种中常用语数量最少的一类，所以在大数据时代，通过云计算、联想记忆等方法计算输入，肯定还会爆发出更强劲的生命力。

　　当然，进入信息时代以后，越来越多的中国人用电脑进行日常的书写，用笔书写的机会比过去少了很多，在汉字难写、笔画繁多等缺点有所改善的同时，许多人也开始担心汉字的未来，担心未来中国的孩子能否对汉字拥有独特的感觉。进入信息时代以后，世界各国交往更加密切，大量的外来词、新生词包括网络用语进入汉字体系，汉字的纯粹性还能否保持也引起了人们的忧虑。

　　其实，回顾汉字的发展史，历史上的汉字又何尝纯粹过？汉字最大的优点就是能兼收并蓄，与时俱进。今天人们使用的汉字及汉语，有不少在历史上曾来源于其他的国家和民族，假如汉字不能吸收记录最新的语言，则必然失去功能上的优势，早晚会被抛弃。

从汉字自身的特点来看，这一点似乎不必过于担心。

以文言文与白话文为例，人们的语言表达习惯变化可谓巨大，但使用的汉字却没有发生巨大的改变，这说明汉字在记录汉语方面能量巨大，足以应付语言上的巨变。虽然一些网络词语如"囧""槑"等被人们赋予新意，但毕竟使用范围有限，想进入汉字的常用字体系还比较困难，更不要说左右汉字体系。这又是汉字本身足够强大的一个方面。

追本溯源是人类共同的兴趣。在汉字研究领域，对于字源的探求、对于文字结构的探索同样令人着迷。作为世界上最古老的文字之一，汉字不仅是最重要的知识传播的

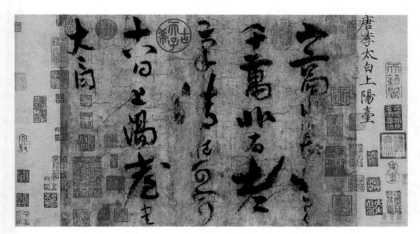

图 1.78　李白　《上阳台帖》

手段之一，还产生了一种新的艺术形式——中国书法（**图 1.78**）。几千年来人们对此乐此不疲，名家辈出，这也是一种很值得探究的文化现象。

此外，汉语还是《联合国宪章》规定的联合国六种官方语言之一，简体汉字在国际事务中的作用自然也备受瞩目。汉字也因其表达简洁而获誉良多，据说，在联合国六种文字的官方文件中最薄的一本用的一定是汉字。

　　汉字历经演变承续至今，依然生机勃勃，不仅是中华民族的伟大创造，也是中华文明的象征，其强大的文化影响、独特的构形体系及无与伦比的书法审美内涵，凝聚了中国文化的基本特征，成为世界文化遗产中当之无愧的文化瑰宝，足应列为中国最重要的发明之一而立于世界民族之林。

二、汉字构形

1. 象形字

　　象形是早期文字中常用的造字方法之一，其特点是字形与它所表示的物体外形相像，即《说文解字》所说的"画成其物，随体诘诎"，用这种方法所造之字皆可称为"象形字"。

　　现存世界上最早的象形文字，是古埃及的圣书体，距今约5000年。这种字写起来既慢又很难看懂，结果随着时光的流逝，最终连埃及人自己也不知道该如何释读了。

　　早期的汉字，如商周时期的甲骨文和金文中也有大量的象形字。比如：

日　　　　　　　　象太阳之形。

月　　　　　　　　象弦月之形。

山　　　　　　　　象群山之形。

田　　　　象耕田之形，并饰有田间小路。

木　　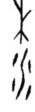　　象树木之形，上有枝，下有根。

水　　　　象河流之形，突出水滴。

目　　　　象眼睛之形。

角　　　　象兽角之形。

鹿　　　　象鹿之形，突出鹿角。

象　　　　象大象之形，突出象鼻。

册　　　　　　象用丝绳编连的简册之形。

这些象形字的显著特点是，它们所记录的字都有一定的外形，所以，只要看到字形便可知道它们所表示的含义。

有时，象形字还可以通过描摹对象的部分形体来代表整体，比如：

牛　　　　　　　　　　　象牛头形，用牛头表示全牛。

竹　　　　　　　　　　　象竹叶形，用竹叶表示竹子。

有时，象形字为了使所表示的事物更加形象，还会特地缀加相关物体的形象，比如：

眉　　　　　　　　　　　象眉毛之形，缀加眼睛之形以表示位置。

冒　　　　　　　　　　　象帽子之形，缀加眼睛之形以表示帽子是戴在头上之意，后写作"帽"。

足		象脚足之形，缀加小腿之形以表示位置。
面		象人面部轮廓之形，缀加眼睛之形以表示人脸。
血		象血滴之形，因血存放在器皿之中，故缀加皿形。
州		本义指水中的小块陆地，为表示强调，连河水一并画出。

　　有时，还可以用象形构件累加的方式来表示一个群体的概念，比如：

林		象树丛之形，用两棵树表示树林。
艸		象草丛之形，用两根草表示草丛。
茻		象草丛之形，用四根草表示大片草丛。

　　今天，有不少汉字经过隶变后，已经很难看出它们的

原始字形了，但是，你知道吗？最初，它们也是名副其实
的象形字呢，比如：

衣　　　　象有衣领的上衣之形。

带　　　　象将上下布巾交织在一起的腰带之
　　　　　　　　　　形。

帚　　　　象倒立放置的笤帚之形。

页　　　　象人头之形。

须　　　　象人下巴上的须毛之形。

而　　　　象人颌下的须毛之形，后作"髵"。

文　　　　　　　　　　　象人胸前纹身之形。

我　　　　　　　　　　　象带齿的兵器之形。

　　还有一些象形字，在甲骨文中就已经是简省的形体，不通过比较，很难一眼看出它们与所描摹对象之间的关系，比如：

刀　　　　全形作　　，简省作　　。

　　好在这种情况非常少见，大多数的象形字还是很容易辨识的。

　　需要说明的是，象形作为一种造字方法，虽然看起来简单，却并不随意。比如，在自然界，太阳和月亮都是圆的，为什么"日"字是圆形，而"月"字是半圆形呢?

　　这是因为月有阴晴圆缺，一个月之中，弦月的状态最为常见，而满月却十分难得，但是太阳却不同，它无时无刻不是以圆形的状态示人，因此，造字时，先民们就采用了最常见且最具区别特征的形象来表示它们。

所以说，若没有细致入微的观察与总结，就算是象形字，造起来也并不容易。

2. 指示字

指示字，是在象形符号以及少数抽象符号的基础上，缀加指示符号来表现字义的文字。其中，部分文字相当于传统六书中的"指事"。

关于"指事"，《说文解字序》中的定义为 "视而可识，察而可见"，换言之，指事是一种字形容易辨识、字义容易观察的造字方法。

然而，在《说文解字》中，除诠释"上""下"二字

时，明确指出是指事字外，其余的，即便是后世公认的指
事字，许慎也均以象形、会意的方法进行解说，再加上他
对指事的界说言辞简约，定义模糊，导致古今学者对指事
的认识存在较多分歧。

　　根据詹鄞鑫先生的研究，传统的指事字根据偏重角度
的不同，大致可以分为两类：一类偏重于"指"，可称之
为"指示字"；一类偏重于"事"，可称之为"象事字"。

　　在整个汉字家族中，指示字数量不多，所占比重较
小，常见的指示字有：

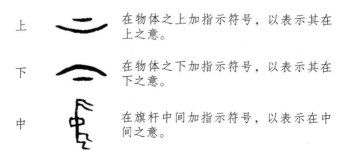

上	在物体之上加指示符号，以表示其在上之意。
下	在物体之下加指示符号，以表示其在下之意。
中	在旗杆中间加指示符号，以表示在中间之意。

本 在"木"的主根位置加指示符号，以表示树的主根之意。

末 在"木"的末梢位置加指示符号，以表示树的末梢之意。

亦 在人的腋下位置加指示符号，以表示腋窝之意，后增加肉旁，成为肘腋的"腋"。

厷 在人的手臂位置加指示符号，以表示手腕到肘的部位，后增加肉旁，成为股肱的"肱"。

臀 在人的屁股位置加指示符号，以表示后面、屁股之意。

股  在人的大腿位置加指示符号，以表示大腿之意。

膝 在人的膝盖位置加指示符号，以表示膝盖之意。

腓		在人的小腿肚子位置加指示符号，以表示胫腓之意。
甘		在"口"舌的位置加指示符号，以表示甘甜可口之意。
曰		在"口"外的位置加指示符号，以表示说话之意。
兀		在人头之上的位置加指示符号，以表示孤高之意。
弦		在弓弦的位置加指示符号，以表示弓弦之意。
刃		在"刀"刃的位置加指示符号，以表示锋刃之意。
亡		在"刀"刃的位置加指示符号，以表示锋芒之意。后作"芒"。
尤		在手指的位置加指示符号，表示赘疣之意。后作"疣"。

3. 象事字

在古文字中，有些独体字从字形上看接近象形字，但从字义上看，它所表示的不是有形的物，而是无形的事。裘锡圭先生将它们称为"象物字式的象事字"，詹鄞鑫先生则将它们直接称为"象事字"。

象事字，是一种介于象形字与会意字之间的文字，常见的象事字有：

一	▬	积画为数，以一横画表示数目一。
二	▬	积画为数，以二横画表示数目二。
三	▬	积画为数，以三横画表示数目三。
四	▬	积画为数，以四横画表示数目四。
五	▬	积画为数，以五横画表示数目五。
方	▢	以方块表示方形之意。

圆　　　以圆圈表示圆形之意。

小　　　以水滴或沙粒的形象表示微小之意。

大　　　以正面站立的成年人形象表示大人之意。

矢　　　以侧头的成年人形象表示倾斜、偏侧之意。

屰　　　以倒置的成年人形象表示倒逆之意。

走　　　以人摆动双手的形象表示奔跑之意。

身　　　以人腹部隆起的形象表示身孕之意。

永　　　以流水的形象表示长久不断之意。

卜　以龟甲灼烧时的裂痕形象表示占卜之意。

才　以小草破土而出的形象表示开始、初生之意。

回　以回绕、旋转的形象表示回绕之意。

黹　以上下布巾缝缀在一起的形象表示缝纫之意。

勿　在"刀"旁加小点表示断物之意，此义后用"刎"字表示。

彭　在鼓的形象旁缀加小点，表示敲鼓发出的声音。

眔　在眼睛的形象旁加小点，表示目光所及之意。

尨　在"犬"身旁加多条线段，表示多毛狗之意。

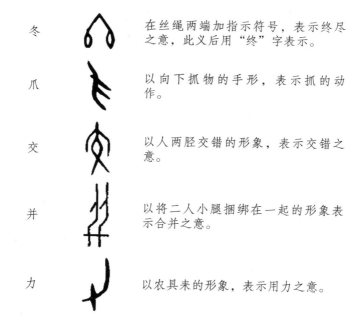

冬		在丝绳两端加指示符号，表示终尽之意，此义后用"终"字表示。
爪		以向下抓物的手形，表示抓的动作。
交		以人两胫交错的形象，表示交错之意。
并		以将二人小腿捆绑在一起的形象表示合并之意。
力		以农具耒的形象，表示用力之意。

4. 会意字

　　如果一个合体字会合了两个或两个以上的构字符号来表示一个跟这些字符本身意义都不相同的意义，则称此字为"会意字"。

从构字符号的会意方式来看，会意字可分为两类，一类是以形会意，即通过构字符号本身的形象来表意，如：

陷	象牛掉进陷阱之形，用小点表示落下的土粒，会陷阱之意。
出	象人脚从坑坎中走出之形，会离开之意。
即	象人跪坐在食器旁，面朝食器，会即将吃饭之意。
既	象人跪坐在食器旁，口和身体背对食器，会已经吃完之意。
吹	象人张嘴向器皿中吹气之形，会吹气之意。
执	象一人跪地双手被刑具夹住之形，会拘执之意。
易	象用手将液体从一器皿倒入另一器皿之形，会变易之意。

铸　象用手将金属液体从坩埚中倒入模范之形，会铸造之意。

争　象二人用手争执一物之形，会争夺之意。

斗　象二人扯着对方的头发搏斗之形，会争斗之意。

折　象以斧斤断木之形，会折断之意。

辇　象二人挽车并行之形，会牵辇之意。

涉　象双足穿过河流之形，会涉水之意。

戒　象双手持戈之形，会戒备之意。

弄　象双手持玉之形，会赏玩之意。

承　　象双手向上托举人形，会奉承之意。

降　　象两足沿台阶自上而下之形，会下降之意。

为　　象用手牵引大象之形，会劳作之意。

及　　象用手逮住前面人形，会追上、抓住之意。

牧　　象以手执鞭赶牛之形，会放牧之意。

相　　象用眼睛察看树木之形，会察视之意。

冓　　象两鱼相遇之形，会遘遇之意。

利　　象以刀割取禾穗之形，会锋利之意。

韧		象以刀刻画痕迹之形，会锲刻之意。
耦		象持二耒劳作之形，会并耕之意。
杳		象太阳落于树下之形，会幽暗之意。
舂		象双手持杵捣臼之形，会捣谷之意。
航		象人持杆驾舟之形，会航行之意。
化		以人一正一倒之形，会变化之意。

另一类是以义会意，即通过构字符号独立成字以后的意义来表意，这一类的字在会意字中数量较少，常见的有：

尖　从小从大，用上小下大，会尖锐之意。

歪　从不从正，不正即歪斜之意。

嵩　从高从山，会高山之意。

掰　从两手从分，会用双手将物体掰开之意。

嬲　以两男夹一女，会纠缠、戏弄之意。

在分析文字结构时，如果将以形会意的字误认为以义会意，就会闹出笑话。比如"美"字，甲骨文作羑，从羊从大，像人头上戴有羊角或羊角形的装饰，以形会意，表示美貌、好看之意，如果理解成"羊大为美"，就错了。

那么如何区分一个字是以形会意，还是以义会意呢？

最有效的方法有两条：

（1）根据汉字产生的时代。以形会意的字多产生于春秋之前，以义会意的字多产生于战国秦汉以后，这与汉字从象形性向符号性转变的趋势是一致的。一般来说，时代越早，以形会意的可能性就越大。

（2）根据字义反推。以形会意的字，其本义多与构字符号的原始形象有关，如"删"的本义为用刀从竹简上删削文字，所以从册从刀，册为竹简的象形。以义会意的字，其本义多与构字符号的字义有关，如"葬"的本义为安葬，从茻从死，这里的"死"用的是死人的意思，但在字形上却看不出死人的形象。

5. 会意兼声字

在会意字中，如果其中的意符兼表读音，就会成为"会意兼声字"。

比如：

噎　　象人吃饭时喉咙噎住之形，会噎食之意。"亚"（　）兼表音。

龋　象牙齿内有蠹虫之形，会龋齿、蛀牙之意。"禹"（ ）兼表音。

何　象人扛戈之形，会负荷之意。"戈"（ ）兼表音。

冠　象人头戴冠冕之形，会戴帽之意。"元"（ ）兼表音。

败　象以棍棒击贝之形，会毁坏之意。"贝"（ ）兼表音。

受　象用手交接物体之形，会授受之意。"舟"（ ）兼表音。

有些会意字，原先没有表音功能，但经过意符改造，后来也成了兼声字。如：

昃　商代甲骨文从日从大，用斜着的人形表示倾斜之意。　西周金文改"大"为"矢"，"矢"兼表音。

朝 商代甲骨文从日从月从艸，表示日已出于丛林，而月未落，会早晨之意。

 战国楚简改"月"为"舟"，"舟"兼表音。

需要指出的是，虽然"晨"字更换了意符，但是表示歪头之形的"矢"同倾斜的"大"一样，在这个字中仍然可以起到表意的作用，倘若会意字的意符在增加表音功能时失去了原先的表意功能，那么这个字就会变成形声字，而不再是会意兼声字了。

6. 形声字

能反映汉字的类别属性或范围的构字符号被称为"形符"，能反映汉字在造字时代的读音的构字符号则被称为"声符"，同时具有形符和声符的汉字被称为"形声字"。

　　许慎在《说文解字序》中认为"形声者，以事为名，取譬相成"，既为形声下了定义，也指明了形声的优点，即可以根据形符，知道汉字所记事物的属性，比如凡是"鸟"旁的字大多都与禽鸟相关，或从禽鸟引申而来；凡是从"宀"旁的字大多与房屋、建筑有某种联系。

　　其实，形声字的优点远不止这些，在一个形符可以为多个汉字充当偏旁的同时，一个声符也可以为多个汉字进行表音，这样，只需要极少的形符和声符就可以记录大量的汉字。

　　换句话说，形声字的构字能力和构字容量是象形、指示等构字方法所不能相比的。尤其在记录一些没有具体形状的事物时（如记录心情的"苦""怒""怕""忧"等），使用形声的方法非常有效。

　　其次，形声字突破了象形字、指示字等重形义而难以准确表音的局限性，把文字的表意与表音两种功能有机地融为一体，在记录语言时更加科学、准确。尤其在古代方言多、语音差别大的状况下，形声字的这种能力显得尤为重要。

而且，被选作形符和声符的汉字大多简单实用，识记难度小，便于使用者迅速领会字义，掌握字音。

所以，今天的中国小朋友在完成九年制义务教育后，便能满足读书看报的需要，甚至借助字典、词典等工具书还可以进行更深层次的阅读，其中形声字功不可没。

根据学者们的研究，早在商代的甲骨文中，就已经开始使用形声字，比如：

祀　　🜚　　本义为祭祀。从示，巳声。

问　　🜚　　本义为询问。从口，门声。

物		本义为杂色牛。从牛，勿声。
违		本义为离开、背离。从行，从方，眉声。
远		本义为距离大。从彳，袁声。
近		本义为距离短。从彳，斤声。
辽		本义为辽远。从辵，尞声。
吝		本义为吝惜。从口，文声。
渔		本义为捕鱼。从水，鱼声。
刚		本义为坚硬、刚强。从刀，网声。

有的形声字在甲骨文中还兼具象形的特点，比如：

竽 本义为竽。字形象乐器竽之形，于（于）声，于兼表簧片、竽管之形。

觥 本义为盛满酒之酒器。字形象酒器之形，丂（丂）声，丂兼表所盛之酒形。

麋 本义为麋鹿。字形象麋鹿之形，眉（眉）声，眉兼表鹿头、鹿眼之形。

焉 本义为鸟名。字形象鸟形，一（一）声，一兼表鸟羽毛之形。

不过，在商代甲骨文中，形声字所占的比例较少，西周以后，形声字的数量越来越多，许多通过象形、指示、会意等方式构成的汉字，经过构字理据的改变逐渐加入到了形声字的队伍之中（参见本书"理据重构"部分）。

到了汉代，形声字已成为汉字的主流。东汉时期的许慎曾将当时文献中所能见到的9000多个汉字收录于《说文解字》之中，据统计，其中形声字就占了80%以上。南宋时期的郑樵曾对23000多个汉字（含大量俗体字）进行统计分析，结果形声字占到90%以上。直到今天，人们常用的汉字中仍然以形声字居多，而且越是生僻的字，形声的比例就越高。

那么，在汉字之中到底有多少形符和声符呢？

这是一个很难回答的问题。一方面，汉字数量太多难以进行穷尽性的统计；另一方面，许多汉字构形情况复杂，难以归类；还有很多汉字至今人们仍然弄不清楚它们的字音和字义，更不用说要将它们归类了。

不过，从古至今，人们对汉字进行归类的尝试却一直没有断过。

成书于东汉时期的《说文解字》将汉字列为540部，

唐代的《开元文字音义》将其简化为320部，《五经文字》将汉字分为160部，而同属唐代的《九经字样》却仅分成76部，后来辽代的《龙龛手镜》（242部）、明代的《类纂古文字考》（314部）和《字汇》（214部）都有不同的尝试。

今天，专家们根据汉字检索的需要，将人们所使用的汉字分为200个左右的部首，如《辞海》201部、《辞源》214部、《汉语大字典》200部、《汉语大词典》200部、《现代汉语词典》201部、《新华字典》189部。

这些工具书部首的设立，有着各自的学术依据和历史背景，这些部首虽不能完全等同于形符，但基本上反映了汉字的形符面貌。

至于声符，据不完全统计，有1000多个。这些形符、声符互相配合，构成了现代汉字的形声字系统。

7. 双声字

在形声字中，有时不止一个声符，或其中的形符也兼具表音的作用，可称之为"多声字"。

在多声字中，最常见的为双声字，比如：

| 扬 | | 本义为扬起、上扬。"王"（王）、"昜"（昜）皆表音。 |

| 旁 | | 本义为四面八方。"凡"（凡）、"方"（方）皆表音。 |

| 宝 | | 本义为珍宝。"缶"（缶）、"贝"（贝）皆表音。 |

| 竽 | | 本义为乐器名。"龠"（龠）、"于"（于）皆表音。 |

| 虖 | | "乎"字异体。"虍"（虍）、"乎"（乎）皆表音。 |

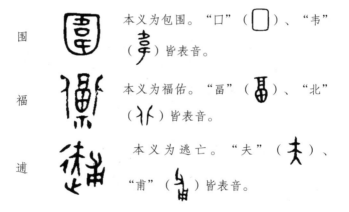

围　　本义为包围。"囗"（▢）、"韦"
　　（　）皆表音。

福　　本义为福佑。"畐"（畐）、"北"
　　（　）皆表音。

逋　　本义为逃亡。"夫"（夫）、
　　"甫"（　）皆表音。

　　有的字并非一开始就是双声，如"围"字最初作囗
（wéi），象城墙之形，表示包围的意思，在古文字中多
作为偏旁使用，后增加"韦"字表音，于是才成为一个独
立的字。

　　还有的字，看似是双声字，实际上是汉字演变过程中
产生的误解。

　　比如"望"字，最初是个会意字。甲骨文象人立在土

堆上之形，突出人的眼睛和站立的土堆，表示登高远眺之意，是张望之"望"的本字。

西周时，有了"朔望"一词，于是假借其声，以月为意符，分化出了"朢"字。《说文解字》将"望""朢"分为二字，今天的简化字已重新合为一字。

乍一看，"望"像是用"亡""王"表声的双声字，实际上"望"字下面所从的是"壬"（𡈼，tǐng），表示人挺立之意，并非国王的"王"（王）字。

表 2.1 "望"字字形变化表

商代甲骨文	西周金文	战国楚简	《说文》小篆	现代楷书

在汉字发展过程中，双声是一种特殊的文字现象，反映了古人对于字音的重视。有时，根据声符的不同，可以了解当时语音的变化，在音韵学上具有重要的参考价值。

8. 变体字

"变体字"的概念最早是由裘锡圭先生提出的，后来，詹鄞鑫先生将"变体"的范围进行了扩大，其内容主要针对的是通过改变一个字的音、形或义的一部分而产生新字的现象，常见的变体字有：

（1）取音变体字

即变体字的读音与原字读音相近，但字义是新产生的，如：

乒乓这两个字系由"兵"字改造而来，读音都与

"兵"相近，但用作拟声词，字义与"兵"没有任何
关系。

　　毋系由"母"字改造而来，甲骨文中常用作否定副
词，后来为了与父母的"母"字区分，将作为否定副词的
"母"字改写成"毋"，但读音仍与"母"字相近。

　　（2）取形变体字

　　即变体字的字形与原字字形存在联系，如：

表2.2

原字	变体	小篆	读音	字义	解说
孑	孑	𠄌	jié	《说文》："无右臂也。"	都少了一臂，所以，"孑""孓"都有孤单的意思，如"茕茕孑立"、"孑然一身"
（孑）	孓	𠄌	jué	《说文》："无左臂也。"	
	了	𠄌	liǎo	《说文》："从子无臂。"	一个臂都没有了，所以有了结、完结之意

续表

原字	变体	小篆	读音	字义	解说
行	彳		chì	《正字通·行部》："左步为彳，右步为亍，合彳亍为行。"	"彳""亍"各取形于"行"的一半，所以，"彳亍"有慢步行走之意
	亍		chù		

（3）取义变体字

即变体字的字义与原字字义存在联系，比如：

叵，本义为不可，如"居心叵测"。在字形方面，战国楚简中"叵""可"同形，皆作可，《说文》小篆中将"可"（可）字反书而成"叵"（叵）字。在字音方面，"叵"字也与"不可"连读时的发音相近。

9. 理据重构

在汉字产生之初，大多数的汉字都具有某种构字意图，即拥有一定的造字规则与依据，这些规则与依据就是

"构字理据"。随着社会环境的发展变化，汉字的构字理据也会发生改变。

比如，有的字原是象形字，后增加声符或形符而成为形声字，如：

表 2.3

凤		为古人想象中的凤鸟之形		增加"凡"声，以表读音
鸡		象公鸡之形		增加"奚"声，以表读音
网		象渔猎用的罗网之形		增加"亡"声，以表读音
齿		象口齿之形		增加"止"声，以表读音
鼻		象鼻子之形		增加"畀"声，以表读音

续表

蛋		象蝎子之形		增加"虫"旁，以表类属
床		象木床之形		增加"木"旁，以表类属

有的字原是指示字，后增加声符或形符而成为形声字，如：

表 2.4

吻		表示吻角位置		增加"勿"声，以表读音
腋		表示腋下位置		增加"肉"旁，以表类属
肱		表示手臂位置		增加"肉"旁，以表类属
疣		表示手疣位置（俗称"瘊子"）		增加"疒"旁，以表类属

有的字原是象事字，后增加声符或形符而成为形声

字，如：

表 2.5

戴		象举双手戴面具之形		增加"弋"声，以表读音
敬		象外族俘虏之形		增加"攴"声，以表读音
终		象丝绳打结之形		增加"糸"旁，以表类属

有的字原是会意字，后增加声符或形符，或将意符声化而成为形声字，如：

表 2.6

斗		象二人打斗之形，会搏斗之意		增加"斩"声，以表读音。又或写作"鬦"，从豆声
夤		从二夕之形，会深夜之意		增加"寅"声，以表读音，并保留一夕作形符

续表

奔		以人摆动双臂及多脚之形，会奔跑之意		改"趾"为"卉"（bēn），以表读音
居		象人踞坐倚几之形，会踞坐之意		改"几"为"古"，以表读音
释		以双手背对桎梏之形，会释放之意		改为从采，睪声
扶		象挽手挽扶之形，会挽扶之意		改为从手，夫声
遘		象两鱼相遇之形，会遭遇之意		增加"辵"旁，表示动作
搜		象在屋内手持火把之形，会搜寻之意		增加"手"旁，表示动作
嗅		狗嗅觉灵敏，故从犬从自，会嗅觉之意		增加"鼻"旁，表示类属

有的字本已是形声字，后增加形符，或改变声符、形符而成为新的形声字，如：

表 2.7

竽	[竽篆形]	象乐器竽形，于声	[竽篆形]	将竽形改为"竹"旁，表示材质类属
罪	[罪篆形]	从辛，自声	[罪篆形]	改为从网，非声
觞	[觞篆形]	象酒器之形，从斝，万声	[觞篆形]	改为从爵，易声
疗	[疗篆形]	从疒，乐声	[疗篆形]	改为从疒，尞声

从汉字改变原先结构的情况不难发现，它们大多遵循了两个原则：

（1）使汉字的表音表义作用更加准确。这也是汉字发展过程中形声字越来越多的主要原因。不同时代、不同地区的语音会有所不同，所以，即便是形声字，有时也会出现更换声符的现象。

（2）使汉字的书写更加简便。主要是将汉字的象形属性变为符号属性，如上面所列举的"竿"字就是典型的例子。

正是基于这些原则，汉字才能不断地与时俱进、沿用至今。

三、汉字流变

1. 同源字

字形是汉字的外表形式，其实际上记录的则是词义。

从源头上看，任何两个词之间如果存在同源或源流关系，则它们便可称为同源词。记录同源词的字叫同源字。

在汉字中，同源字在字音上往往相同、相近或可相转，在字义上存在某种联系。同源字常可分为一些大的类别。

如蒙覆类同源字：

表 3.1　部分蒙覆类同源字字表

同源字	注音	释义	共同意义
冡	méng	本义为覆盖，后多写作"蒙"	这些字有、一意义都含蒙盖、遮挡类的义
蒙	méng	本义为植物女萝，后泛指覆盖	
朦	méng	本义指月色被云气覆盖而朦胧不明	
曚	méng	本义指日色被云气覆盖而朦胧不明	
幪	méng	本义指覆盖用的布	

又如遘遇类同源字：

表 3.2　部分遘遇类同源字字表

同源字	注音	释义	共同意义
遘	gòu	本义为相遇	这些字都含有相遇、遇合一类的意义
媾	gòu	本义为男女遇合	
覯	gòu	本义指遇见	
篝	gōu	本义指用竹片交错搭配而成的竹笼	

上述两例同源字之间，声符相同，意义亦存在关联。关于音义之间的这种联系，古人很早就注意到，古人甚至发展出以声符探求字义的学说，如宋代的"右文说"，代表人物如著名的诗人、政治家王安石。

还有一些同源字，声符不同，在现代汉语中读音相差较大，字形上也有明显的区别，但从词义源流上看，仍属于同源字。

如月缺类同源字：

表3.3　部分月缺类同源字字表

同源字	注音	释义	共同意义
缺	quē	本义为器破，后引申为残缺	这些字有不意，些字含缺的义，这都残全义
阙	què	本义为古代宫门外两旁的建筑，中间为空缺的道路，故有空缺之义	
决	jué	本义为堤坝缺破	
玦	jué	本义为有缺口的玉环	
垝	guǐ	本义为墙垣毁坏	
刖	yuè	本义为断足之刑	
髡	kūn	本义为剃去毛发之刑	
瞎	xiā	本义为一目失明	
蘖	niè	本义为被砍去或倒下的树木再生的枝芽	
劓	yì	本义为割除鼻子之刑	
刵	èr	本义为割除耳朵之刑	
割	gē	本义为割除	

　　此外，有些字虽然意义相反，但也可能属于同源字，甚至是同一个字的分化。如"受"与"授"，甲骨文皆写作 ，对于上面的手（人）来说是授予，对于下面的手（人）来说是接受，字义虽然完全相反，却相辅相成。

2. 假借字

在记录语言时，如果一个汉字所记录的词义是该字的本义、基本义或引申义，这个字就是它所记录的词的"本字"。反之，如果一个汉字所记录的词义不是该字的本义、基本义或引申义，这个字就是它所记录的词的"假借字"，简称"借字"。

学术界习惯将假借现象分为两种：本无其字的假借和本有其字的假借。

本无其字的假借，指汉语中的一个词在汉字中原本没有本字，只好借用其他音同或音近的字来记录，比如：

表 3.4　　部分本无其字的假借字字形表

借字	字形	解说
六	∧	象简易的庐屋之形，为"庐"字初文，假借为数目六
七	十	象切物之形，为"切"字初文，假借为数目七

续表

借字	字形	解说
九		象手肘之形，为"肘"字初文，假借为数目九
我		象兵器之形，本义为一种武器，假借为第一人称代词
戚		象兵器之形，本义为一种武器，假借为亲戚之"戚"
丑		象手爪之形，假借为地支名
巴		象人用手拍腿之形，本为"拍"字初文，假借为巴掌的"巴"
庶		象以火烧石煮物之形，本为"煮"字初文，假借为庶民的"庶"
东		象盛物于囊中，以绳索束其两端之形，为"橐"字初文，假借为方位词

　　本有其字的假借，指汉语中的一个词在汉字中已有本字，却借用其他音同或音近的字来记录，文字学界一般也称这种现象为通假（详见"通假字"部分）。

　　实际上，如果按是否有本字来区分类型，还有一种特殊的情况，即有些假借字原属于本无其字的假借，后来人们又专门造了一个字来表示这个假借义，对于这个词而言，此时就拥有了一个"本字"，因这个"本字"是后起的，所以可称为本字后起的假借。比如：

表 3.5　部分本字后起的假借字字形表

借字	字形	后起字	解说
莫		暮	象太阳落于草丛中之形，本义为日暮
戚		感	象兵器之形，本义为一种武器，假借为"悲戚（戚）"的"感"，增加心旁

续表

借字	字形	后起字	解说
北		背	象侧视的两人相背之形，会背离之意，为"背"字初文
然		燃	形声字，本义为燃烧
或		域	会意字，本义为区域

　　在汉字的发展过程中，正是由于许多"本无其字的假借"慢慢变成了"本字后起的假借"，许多词义的记录与使用更加明确，人们在阅读古代文献时才避免了许多障碍，这也从侧面说明汉字自古以来就是一种更新能力很强的文字。

3. 通假字

通假，又叫通借，过去也称为本有其字的假借，是古人在记录词义时，本有其字，却用一个音同或音近的字来代替的现象。

为什么会产生通假现象呢？

原因很多。

从根本上说，是为了便于记录。

通假字的原理是借音表义，在汉字记录语言的过程中，只要能做到约定俗成，在记录者和阅读者之间不会造成交际障碍，使用同音字记词就不会有太大问题。因此，有些通假字在某个时代通行，当时的人习以为常，并不以之为怪。

尤其在秦汉之前，字少词多，在没有强制要求用字规范的情况下，人们的日常用字也不像后世那样严格。

此外，汉字在隶变之后，字形渐趋符号化，不少字形体难记，加上音同、音近的字又多，人们在仓促下笔时也容易写成别字，某些别字流传久了，被人们所接受也就变成了通假字。

在古代文献中，通假现象极为复杂。从不同的角度看，会发现通假字与本字之间的不同关系。

比如：从字音上看，通假字与本字之间常常音同或音近，如"畔—叛""亡—无"等。从字形上看，通假字与本字如果都是形声字的话，有时会具有相同的声符。如"财—材""涂—途""说—悦""刑—形"等。

从借代关系上看，通假字与本字之间有单借和互借之别。

所谓单借，即A能借为B，B却不能借为A，如突然的"突"能借为糊涂的"涂"，而"涂"却不能借为

"突"，如：

> 可怎生糊突了盗跖、颜渊。（《窦娥冤》）

所谓互借，即A能借为B，B亦能借为A，如：

> （1）固以怪之矣。（《史记·陈涉世家》）

> （2）年八十已上，赐米人月一石，肉二十斤，
> 酒五斗。（《汉书·文帝纪》）

（1）中"以"通"已"，（2）中"已"通"以"，据两例可知"以""已"可互为通假。

从对应关系上看，通假字与本字之间一般是一对一的关系，但也有不少的字可被两个或两个以上的字借用，形成一对多的关系。如"辩"字：

> （1）主齐盟者，谁能辩焉？（《左传·昭公元年》）

> （2）若夫乘天地之正而御六气之辩以游无穷

者，彼且恶乎待哉？（《庄子·逍遥游》）

（3）望于山川，辩于群神。（《史记·五帝本纪》）

（1）中"辩"通"办"，（2）中"辩"通"变"，（3）中"辩"通"遍"，所以"辩"可以被"办""变""遍"等几个字共同借用。

古代有那么多的通假字，阅读文献时，当如何判断本字和通假字呢？

一般来说，在阅读古书时，若遇到某一个字不能用其本义或引申义去解释，就应考虑到是否存在通假的问题。

此外，要熟记一些常用的通假字。今天人们能见到的许多古籍，在注解中对通假等现象一般都有说明，《辞源》《辞海》等工具书也有不少相关释例，这些都有助于阅读者解决古书阅读时的通假障碍问题。

4. 古今字

　　在汉字的发展过程中，如果一个词在不同的时代用不同的汉字来记录，那么最早使用的叫"古字"，后来使用的叫"今字"，合称为"古今字"。

　　当然，这里的"古"和"今"都是相对而言的，并非特指古代和今天。对今天的人来说，秦汉、唐宋都是"古"，但对汉代人而言，商代、春秋是"古"，汉代为"今"。而且，据专家研究，大多数的古今字都是秦汉魏晋时期形成的，所以，所谓的"今字"，其实也都有很长的历史了。

　　为什么会产生古今字的现象呢?

　　这是因为，汉字的主要功能是记录汉语，但是汉语的内容太多、太丰富，而且还在不断的发展变化之中，这就要求汉字除要表示本义之外，有时还要表示引申义、假借义等。尤其在比较早的阶段，汉字字少而词多，要想把语言完整地记录下来，就需要一个字承担记录几个词的功能。

但是，如果一个字记录的词义太多，而且这些词又很常用，那么，就很容易造成词义混淆，影响阅读。为了明确文字所记录的词义，有时就不得不想办法对一些汉字进行改造，以分散它的记词功能。最常用的方法就是新造一个汉字。这时，对于新造的字而言，原先的字就成了"古字"；对于原先的字而言，新造的字就成了"今字"。

比如，商代甲骨文中最初使用象形字"自"来表示鼻子，后来"自"又引申出了自己、自从等义，鼻子之义便用形声字"鼻"字表示。在表示鼻子的意思时，"自"相对于"鼻"而言，就是古字。

又比如，"禽"字在商代甲骨文中写作 ，象捕

鸟用的网，本义为擒获，在西周金文中写作 ，增加了
"今"字表声，后引申为擒获的鸟类动物，再引申为各种
飞禽，一直到汉代表示擒获之意都用"禽"来表示，如
《史记·淮阴侯列传》："陛下不能将兵，而善将将，此
乃信之所以为陛下禽也。"后来又造了增加手旁的"擒"
字，在表示擒获之意时，"擒"就成了"禽"的今字。

　　有时，由一个古字可以分化出几个今字。

　　比如"厭（厌）"字除表示本义压迫外，还可以表
示满足、厌恶、噩梦等义，后来表示厌恶之意仍用"厌"
字表示，而表示压迫之意加土旁写作"壓（压）"，表示
满足之义加食旁写作"饜"，表示噩梦之义加鬼旁写作
"魇"，"压""饜""魇"都是"厌"的今字。

　　值得一提的是，古今字与假借字、同源字都有一定的
联系（如图3.1），它们之间并非严格的排他关系。

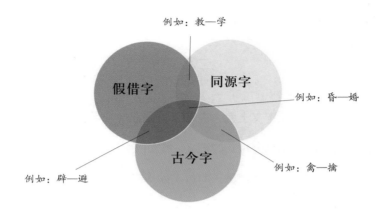

图 3.1　古今字与假借字、同源字关系图

不过，古今字与异体字之间的关系要复杂得多。

乍一看，古今字与异体字都是用不同的字形表示同一个词的现象，而且与古今字相似，许多异体字也是产生于不同时代，这就给辨析它们造成了一定的困难。

实际上，大多数情况下，它们之间的区别还是比较明显的。

首先，古今字可以异形异音，但异体字却必须异形同音。

其次，从定义上看，古今字的古字与今字在同一个时代里不能表示完全相同的词义。比如当用"鼻"来表示鼻子时，用"自"表示鼻子的古义就不能再用了，而异体字则没有这种表意功能上的限制。

以常见的"韭"与"果"二字为例，它们后来都有缀加草字头的写法，作为后起字的"韮""菓"，在"韭一韮""果一菓"的关系中似乎没有什么不同，但实际上，由于"韭"与"韮"无论在什么场合都可以相互代替使用，所以它们是异体字关系；在表示瓜果的意思时，虽然"果"可以写作"菓"，但表示结果、果然等意思时，"果"不能写作"菓"，所以"果"与"菓"有词义分工上的不同，它们只能属于古今字。

5. 同形字

同形字，是指字形相同而读音和字义有所区别的汉字。

同形字的性质与异体字正好相反。异体字的字形虽然不同，实际上却只能起一个字的作用；同形字的字形虽然相同，实际上却是不同的字。

同形字有广义和狭义之分。

广义同形字是用相同的文字记录不同的词时产生的现象，也包括因词义引申或假借关系而造成的一字记录数词的现象。

比如"行列"的"行"（háng），是从表示行动、行走等义的"行"（xíng）字引申出来的，可以把它们看成广义同形字。"莫"的本义为日暮，后假借为否定副词"莫"，它们也可视为广义同形字。

　　狭义同形字，则专指那些没有引申或假借关系，只是恰巧形体相同的字。一般所说的同形字，多指狭义同形字。

　　常见的狭义同形字见表3.6：

表 3.6

同形字	意义
"口吃"的"吃"（chī）	形声字。从口，乞声
"吃饭"的"吃"（chī）	形声字。从口，契声。为"喫"的简化字
"体夫"的"体"（bèn）	形声字。从人，本声
"身体"的"体"（tǐ）	形声字。从骨，豊声。为"體"的简化字
"贵胄"的"胄"（zhòu）	形声字。从肉，由声，表示有血缘关系的后裔
"甲胄"的"胄"（zhòu）	象形字。甲骨文象头盔之形，本义指头盔
"天姥山"的"姥"（mǔ）	会意字。从老，从女。通"姆"，指老妇
"姥姥"的"姥"（lǎo）	形声字。从女，老声。指外婆

续表

同形字	意义
"胜利"的"胜"（shèng）	形声字。从力，朕声。为"勝"的简化字
"胜味"的"胜"（xīng）	形声字。从肉，生声。为"腥"的本字
"山广"的"广"（yǎn）	象形字。甲骨文象山崖之形
"广大"的"广"（guǎng）	形声字。从广，黄声。为"廣"的简化字

同形字很容易造成阅读古书时的误解，遇到时需加以注意。

如李白的《梦游天姥吟留别》，诵读时，"姥"千万不能读成lǎo，否则连姥姥也要笑掉大牙了。

6. 异体字

异体字，又被称为"又体""或体"，在《说文解字》中被称为"重文"，指的是在某一历史时期音、义完全相同，记词职能也完全一样，只是构形有异的字。

文字异体的现象在商代甲骨文中便已出现，如表3.7。

表 3.7

楷书	甲骨文	解说
牧		象以手执鞭驱赶牛之形，会放牧之意
牢		象牢圈或动物被关进牢圈之形，表示牢圈之意
陷		象动物落入陷阱之形，会陷阱之意
牡		由动物加表示雄性性别特征的符号而成，表示雄性

续表

楷书	甲骨文	解说
牝		由动物加表示雌性性别特征的符号而成，表示雌性

商代以后，汉字异体的现象有增无减。不同时代、不同地域、不同的人从不同的角度着眼，选用不同造字方法，或是采用同一种造字方法而选用不同的构件，又或是选取相同的构件而又置向不同等，来为同一个词造字，都会产生异体字。比如：

（1）形旁不同的异体字

在汉字中，意义相近的偏旁有时可以通用（如上面的几例甲骨文），因此便形成大量的异体字，如"磷—燐""坑—阬""哲—悊"等。

（2）声旁不同的异体字

汉字里同音字很多，同一读音可用不同声旁来标识，如"裤—袴""线—線"等。

（3）偏旁位置不同的异体字

在汉字的发展过程中，由于书写材料、书写方式的不同，产生了大批偏旁结构并不固定的异体字，如"翅—翄""峰—峯""群—羣""略—畧""概—槩"，有时一个字因偏旁位置不同而形成的异体字有数种之多，如"鹅—鵞—䳵—鵝"等。

（4）造字方法不同的异体字

不同的时期，依据不同的造字理据也会产生大量的异体字，如"哲—喆""泪—淚""罪—辠"等。

由于异体字数量太多，为了使社会用字规范化，同时精简常用汉字的字数，1955年中华人民共和国文化部和中国文字改革委员会联合发布《第一批异体字整理表》，一次性废除了1055个过去常用的异体字，从而大大减轻了人们识字的负担，使汉字的应用更加科学合理。

7. 俗体字

俗体字，又称俗字，指的是区别于正字而言的一种通俗流行的汉字。所谓正字，一般认为是符合《说文》六书条例，具有一定的构字理据，得到官方认可，并且在正规场合所用，为当时政府所认可的合法的、规范的文字。

唐代最早提出"俗体字"概念，唐代的颜元孙在《干禄字书》中将汉字分为俗、通、正三体。在他和当时的很多人看来，俗体字是一种难登大雅之堂的、其造字方法未必合乎六书标准的浅近文字，仅适宜平民百姓使用。

换言之，俗体字就是历代流行的不规范的异体字。

　　唐代的敦煌写本和许多书法作品充斥着许多俗体字，
但俗体字不一定产生于唐代，有相当一部分是从历史上传
承下来的。比如汉代的铜镜铭文、六朝碑刻上就有不少俗
体字存在。

　　从历史上来看，俗体字的生命力极强。著名文字学
家周有光先生曾说："俗体字的产生在历史上没有停止
过。俗体字不但在比较随便的场合应用，在庄严的场合也
应用；不但一般书写者应用，受过严格文字训练者也应
用。各种字体里都有俗体字，它是不受体态限制的构形简
化。"

表 3.8　敦煌俗体字举例

字头	字形	字头	字形	字头	字形
各	为	歌	謌	稿	稾

续表

字头	字形	字头	字形	字头	字形
钢	鋼	凫	鳬	恩	恩
恶	惡	对	對	沟	溝
股	肶	龟	龜	归	婦
瓜	苽	疆	壃	肉	宍

　　在一定的文字系统中，正字占据主导地位，俗体字处
于从属地位。不过，需要指出的是，俗体字与正字的关系
并非一成不变。当一个俗体字使用的频率很高，而被民众
广泛接受时，官方就有可能用行政手段以俗体字取代正字
的地位，如 "儞" 被 "你" 所取代、"灋" 被 "法" 所

图 3.2　《干禄字书》书影

取代。

　　但不管如何，在同一时期里，俗体字的大量使用总会或多或少地造成用字混乱及阅读障碍。因此，从秦统一文字开始，历朝历代都没有放松在正式场合中所用文字的规范工作。中华人民共和国成立后制定的《汉字简化方案》便将一部分俗体字定为正体字，同时废除了一大批俗体字，对汉字的规范起了积极的作用。

　　不过，有时对俗体字加以规范并不容易。

　　1977年中国文字改革委员会曾发布《第二次汉字简化方案（草案）》，其中所收录的800多个简化字中就包含了许多民间俗体字，如"面—靣""停—仃""厅—广""餐—歺"等。由于问题较多，第二年教育部和中宣部发出停止试用的通知。1986年，国务院批转国家语委《关于废止〈第二次汉字简化方案（草案）〉和纠正社会

图 3.3　1977 年 12 月《人民日报》发表社论要求 "加快文字改革工作的步伐"

用字混乱现象的请示》，宣布正式停止使用。

　　这一方面反映了汉字规范工作的难度，另一方面反映了党和国家在文字工作方面诚恳与务实的态度。正是由于这份务实，时至今天，困扰了人们上千年的正俗之争渐渐落下帷幕，俗体字在正式场合露面的机会越来越少，虽然在民间偶尔还能碰到，但对人们的日常生活已经造成不了太大的困扰了。

8. 繁简字

学界一般将简化字与被简化的繁体字合称为繁简字。

为什么定义中的"简"是简化字，而不是简体字呢?

这是因为，简化字与简体字是既有联系又有所区别的两个概念。

通过研究，文字学家们发现，早在商代的甲骨文与金文中，就有文字繁简并存的现象，如表3.9所示。

表 3.9　部分古文字繁简字形表

	繁	简	释义
莫			象太阳落于草丛中之形
箙			象盛放箭矢的容器之形

续表

	繁	简	释义
畀			象带有扁平箭镞的箭矢之形
典			象手捧简册之形
射			象以弓弦发射箭矢之形

到了小篆、隶书中，简化现象更为普遍，如表3.10所示。

表 3.10　部分古文字繁简字形表

	繁	简	释义
尘	小篆	汉隶	表示鹿群奔跑时扬起的细小灰土

续表

	繁	简	释义
袭	籀文	小篆	表示重衣，两层衣

魏晋以后，碑刻俗体字层出不穷，其中多有简体文字，如"齐（齊）"字作"𪟣"，"亂"字作"乱"，这类简化了形体的汉字都可以称为"简体字"或"简化现象"，但却不能称为"简化字"，因为我们平时所说的"简化字"有特定的含义。

1956年中华人民共和国国务院公布了《汉字简化方案》；1964年3月文化部、教育部、中国文字改革委员会又联合发布了《关于简化字的联合通知》，当年5月即公布了《简化字总表》；1986年又重新公布了《简化字总表》。人们通常所说的"简化字"一般是指这几个文件中

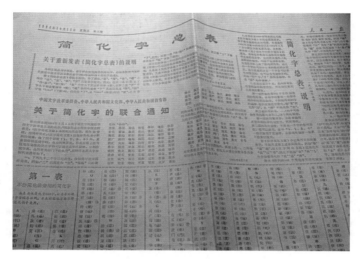

图 3.4　1986 年 10 月 15 日刊载在《人民日报》上的《简化字总表》

　　所规定的简化字，而那些没有被收录到这几个文件中的简
体字，只能视为异体字或俗体字。

　　现在大陆使用的简化字有多少个呢？

　　据1986年10月15日刊载在《人民日报》上的《简化
字总表》规定，大陆地区有2274个简化字及14个简化偏旁
属规范用字。2013年6月5日，国务院公布《通用规范汉字
表》（含附表《规范字与繁体字、异体字对照表》），现

在社会上一般应用领域的简化字，皆以这一版的《通用规范汉字表》为准。

此外，需要特别指出的是，现在人们所使用的简化字中，实际上仅有很少一部分是中华人民共和国成立以后新创造的简化字，如"塵—尘""隊—队""滅—灭"等，其余大部分都是历史上曾经使用过或略加改造的文字，如表3.11所示。

表 3.11　部分简化字来源表

简化字	繁体字	简化字来源
灾	災	来源于古文字
从	從	来源于古文字
气	氣	来源于古文字
回	迴	来源于古文字
弃	棄	来源于古代使用过的异体字
无	無	来源于古代使用过的异体字
唇	脣	来源于古代使用过的异体字
杰	傑	来源于古代使用过的异体字

续表

简化字	繁体字	简化字来源
礼	禮	来源于古代使用过的异体字
阴	陰	来源于古代使用过的俗体字
体	體	来源于古代使用过的俗体字
怜	憐	来源于古代使用过的俗体字
笔	筆	来源于古代使用过的俗体字
晋	晉	来源于古代使用过的俗体字
实	實	来源于草书形体的楷化
车	車	来源于草书形体的楷化
兴	興	来源于草书形体的楷化
乐	樂	来源于草书形体的楷化

　　而且，汉字的简化推广工作并非易事。1935年，国民政府教育部曾公布了第一批简体字表，一共收录了324个民间流传最广的俗体字、古字，但因存在争议，第二年字表被收回。1977年，中国文字改革委员会曾推出过《第二次汉字简化方案（草案）》，由于问题较多，1986年6月，国务院批转国家语委的请示宣布正式停止使用。

　　所以，今天人们所使用的简化字经过语言文字学家们
的反复论证与漫长的历史检验，能作为规范字在人们的日
常生活中使用，实属不易。

9. 合文

　　合文，又称合书，指把两个或两个以上的汉字合成一
个书写单位的文字形式。在构形方面，涉及构字部件的置
换、拼合、重用等，而读音则仍保留原本的多音节读法不
变。

　　早在商代，甲骨文中就已经开始大量使用合文，如
"三牛"写作、"十一月"写作、"九百"写作、
"三千"写作。

　　西周以后，合文的应用更加普遍。如"十朋"写作
（何簋盖）、"乘车"写作（古玺文）等，有

图 3.5　连体吉祥字

时还特地缀加合文符号"="以作提醒，如"工师"写作　（韩少夫戟）、"大夫"写作　（淳于大夫釜甗）、"公子"写作　（曹公子沱戈）。

　　秦汉以后，经过多次文字规范运动，合文逐渐减少。从宋代起，流行将一些寓意吉祥的词句通过构字部件的置换、拼合或重用合而为一，称为"复文"，这种连体吉祥字至今仍然深受人们喜爱，如"招财进宝""黄金万两"等。

　　不过，这种将文字合在一起的现象只是一种文字游戏，并不能应用在日常写作中。

汉字在发展过程中，为什么会出现合文呢？

仔细观察不难发现，合文的主要内容为职官、姓氏、地名，以及一些常用的词语（**详见表3.12**），合文说到底是书写便利的需要。

无独有偶，近代图书馆学家杜定友曾于1924年创设"圕"字来代替词语"图书馆"，于当时中日学术文化界曾流行一时。新中国成立以后，也曾创制过"瓩"（千瓦）、"兛"（千克）、"糎"（厘米）、"嗧"（加仑）等一些合文作为度量衡单位，不过由于种种原因，在1977年以后被废除了。

据专家推测，合文之所以会退出历史舞台，是为了汉字规范的需要，毕竟一个汉字配一个音节才不容易引起歧义。

表3.12 古文字中常见的合文

上帝		西周·史墙盘	上下		西周·史墙盘
寡人		战国·中山王器	邯郸		《古玺文编》4035
司马		《古玺文编》0045	司工		《古玺文编》5537
上官		《古玺文编》3971	公孙		战国·包山简145
鲜于		《古玺文编》4018	淳于		《古玺文编》4125
圣人		战国·郭店简《尊德义》简6	君子		战国·郭店简《成之闻之》简16
小人		战国·包山简144	小子		战国·清华简《程寤》简1
相如		《古玺文编》0788	稽首		战国·清华简《说命上》简4

四、汉字文化

1. 结绳记事与汉字起源

　　国内外一些少数民族都曾有过结绳记事的传说和记载，有的至今仍有结绳记事的传统。

　　不过，从记事效果来看，结绳一般只能起到帮助回忆的作用，很难独立且精准地记录完整的事情，在表示读音方面也存在很大的缺陷，很难表示语言中的读音，所以在学术界，一般只把结绳看作原始的记事方法，并不能算是文字。

　　其实，相对于记事来说，结绳记数的效果可能要更好一些。今天的汉字中仍能见到不少先民们结绳记数的遗存，比如表示"十"的倍数的文字，它们在商周甲骨文和金文中的写法更为明显（**见表4.1**）。

表 4.1　部分有结绳痕迹的商代文字字形表

	字形	字义	现在读音	原始读音
廿		表示二十	niàn	èr shí
卅		表示三十	sà	sān shí
卌		表示四十	xì	sì shí

　　这些汉字用结绳的形象作为构字符号，说明结绳记事的方法在历史上确实存在过。由于原始阶段的汉字多以象形为基础，因此人们日常生活中这些结绳的形象便被记录、保留了下来。

　　不过，据专家研究，早期的许多汉字，比如表4.1中这几个汉字也可视为合文，它们很可能最初拥有两个音节，后来在汉字发展过程中读音发生了改变。

许慎在《说文解字·序》中说"神农氏结绳为治而统其事"，虽然有可能只是传说，但不管怎样，结绳记事对汉字的产生起到过一定的影响是可能的。

2. 武则天造字

公元689年，武则天颁布了一道诏令：改革文字。

为了完成这一创举，武则天召集当世大儒，以《尔雅》《说文》为经典，发扬仓颉的造字精神，大力研发新字。不久，唐政府就公布了一批新造的汉字，如日、月、星、辰等。

今天，武则天所造的许多汉字已经看不到了，就连当初究竟创造了多少字，也是众说纷纭。

据《唐书·艺文志》记载，当时有《武氏字海》一百卷，不过这部书早已亡佚。《新唐书》中记载了十二个新造字，后来，专家们又在武则天时期的文物上陆续发现了一些，现在，人们能见到的武则天时期新造字有二十多个。为了便于识记，还有人曾将其中常见的十九个字编成字歌："天地日月星，载初授证圣。国臣正年月，万君照人生。"（**图4.1**）

虽然今人能见到的新造字不多，但专家们根据这些文字仍然能够探寻出当初武则天造字时的部分依据。

比如，有的字来源于古文字。如"天"字直接采用《说文》篆体，而"地"和"国"字在南朝顾野王所著的《玉篇》中就有："墬，古地字。""圀，古文国字。"

除选用古文字外，会意也是常见的造字方式，如日月当空的"曌"、忠诚一心的"臣"。

有的字则来源于对俗体字的改造，并加入了对大周

图 4.1　武则天时期碑刻所见部分新造字

王朝美好未来的期待，如天下大吉的"君"、千千万万的
"年"。

有的字还打破了汉字的方块结构，成为圆体结构。如
日、月、星，既来源于古文字，又体现了人们对天体的朴
素认识。甲骨文中的"日"和"星"字最初便是由"〇"
构成，加上人们所能看到的日、月、星、辰多为圆形（实
际为球体），所以将它们改造成圆体也是实至名归。

所以，武则天时期所造之字并非都是凭空捏造，任
意为之，应该说，当时创造这些字确实是做了些学术功
课的。

而且，当时所造的这些字都非常实用，而武则天本人为了推广这些字也是煞费苦心。比如武则天在位十五年，一共用了十三个年号，其中"天授""证圣""圣历"和改元大周前的"载初"四个年号中全都用到了新造字。

武则天本人更是改名为"武曌"，以身作则率先使用新字。值得一提的是，"曌"字拆解开来为"明空"，恰好是武则天当初在感业寺出家时的法名，不知是巧合还是有意为之。

1982年，在河南嵩山峻极峰发现了一枚武则天时期的金简（**图4.2**）。金简长36.3厘米，宽8.2厘米，重247克，黄金纯度在96％以上。长方形的金简正面用楷书錾刻着"上言：大周国主武曌，好乐真道，长生神仙，谨诣中岳嵩高山门，投金简一通，乞三官、九府除武曌罪名，太岁庚子七月甲申朔七日甲寅，小使臣胡超稽首再拜谨奏"63

个文字。

根据铭文可知，这枚金简是久视元年（700）七月七日武则天来到嵩山祈福时，命宫廷太监向诸神投简以求除罪消灾时的遗物。这枚金简中的"国""曌""月""日""臣"五个字用的都是新造字。

公元705年，武曌还政于唐，不久死去，"遗制称则天大圣皇太后，去帝号，谥则天大圣后"。

"则天"取自《论语·泰伯》中孔子对尧帝的赞赏："子曰：'大哉，尧之为君也！巍巍乎！唯天为大，唯尧则之。荡荡乎，民无能名焉。巍巍乎，其有成功也！焕乎，其有文章！'"

这位中国历史上唯一一位正式登基称帝，且文治武功皆不输于任何一位男性帝王的女皇，最终被人们以"则天"的称呼来纪念，可谓得当。

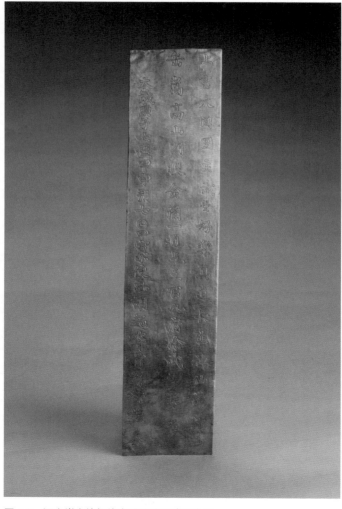

图 4.2　河南嵩山峻极峰发现的武曌除罪金简

　　唐中宗即位以后，随着大周政权的结束，武则天时期所造之字除"曌"字外，全部被废，不再使用。只有那些饱经风霜残存在武则天时代墓志上的汉字（**图4.3**），还在无言地诉说着当年造字时的繁华与荣耀。

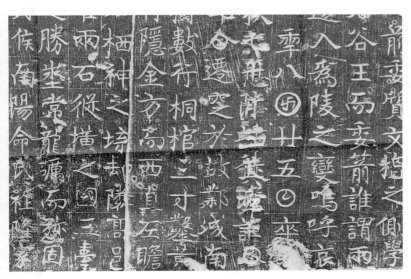

图 4.3　武则天执政时期墓志铭拓片局部（内含武则天造字）

3. 测字术与拆字游戏

测字，也称"相字"，是一种根据文字进行占卜的方式。

早在几千年前的商周时期，人们就已经利用龟甲和兽骨来占卜，并将所问之事及结果刻在甲骨上，被称为"甲骨文"。

虽然当时所依据的是甲骨的灼纹而非文字，但也为文字的使用蒙上了一层神秘色彩，在当时人的观念里，文字本身也拥有着某种神秘的力量，甚至蕴含着命运的枢机、鬼神的意志。

在汉字的发展过程中，众多风水术士拆解字形以预测吉凶，于是测字术产生了。

测字有多种方法。最常见的是依据汉字本身，根据文字形状，或进行拆分，或重新组合，附会其意，以求吉凶。

　　民间流传着不少有关测字的故事，有一个是关于崇祯皇帝的。

　　明朝末年，内忧外患，民不聊生。崇祯皇帝从政之余，有一天微服私访，在街上看到一个算命先生，一时心血来潮便上前测字。

　　在算命摊位前，崇祯皇帝随手写了一个"友"字，问大明江山能兴旺多久。

　　算命先生看了看，说："情况不妙。'友'字是'反'字出头，反叛之人有了出头之日，国势就危急了！"

　　崇祯皇帝心中不悦，又写了一个"有"字，仍问大明江山。

　　不料，算命先生说："情况更不妙。'有'字拆开，上面是'大'字缺一笔，下面是'明'字无日。'大明'缺了一半，岂不是国家要破败吗？"

　　崇祯皇帝心中不服，又写了一个"酉"字，还问大明江山。

　　算命先生惊恐道："此字大凶。'酉'字乃'尊'字截头去尾，至尊莫若皇帝，九五之尊受此侮辱恐是不祥之兆啊。"

　　崇祯皇帝凄然，最后又写了一个"幽"字。

　　算命先生看后，叹了一口气，说："'幽'字是山林之中两根绳，乃上吊之物。这个字实在是测不下去了。"

　　说罢，算命先生匆匆地收拾了东西，逃跑似的走了。

　　崇祯皇帝听得心惊肉跳，吓出一身冷汗。

　　读音相同或相近的几个字，用不同的解字方法，得出的答案竟然出奇地相似，真是令人不由得称奇。

当然，这只是一个民间传说，穿凿附会，不足为信。

不过，将汉字按照一定的方法拆解，加入一些人生哲理，倒确实是一种非常有趣的文字游戏。

语言大师林语堂曾对"孤""独"二字做过有趣的拆解，并写下一首打油诗：

稚儿擎瓜柳棚下，细犬逐蝶窄巷中。

人间繁华多笑语，唯我空余两鬓风。

"孤"与"独"分别拆开，是子与瓜、犬与虫。寥寥几字，被林先生一描述，变成了一幅栩栩如生的画：小朋友在阴凉的柳树棚下捧瓜嬉笑，小狗儿欢快地在古老的窄巷中追逐着蝴蝶，举目望去处处充满着欢声笑语，唯有"我"两鬓斑白垂垂老矣。很多人都认为孤独是难以忍受的，而在林语堂笔下，孤独妙趣横生，丰富多彩，在今天看来，仍不失为一种很高的人生境界。

　　与"孤""独"类似，不少汉字都是由两个或两个以上各有含义的单字组成的。通过拆字这一有趣的玩法，人们也可以表达自己的处世哲学和对生命的不同理解。比如：

宀 + 畐

　　一半是"福"，一半是"灾"，钱多未必都是好事。

　　君子爱财，取之有道，用之有度。不义而富且贵，于我如浮云。

人 + 亭

　　人生路漫漫，既要有能够前进的勇气，也要有可以停下的心气。行到水穷处，坐看云起时。

艸 + 人 + 木

　　人生一世，草木一秋，浮生若梦，生命如茶。与自然亲近，与内心和解，方能先苦而后甘。非淡泊无以明志，非宁静无以致远。

少 + 力

　　一分耕耘，一分收获。少壮不努力，老大徒伤悲。

心 + 白

　　恐惧是内心的空虚，心有所期，行有所倚，方能无所畏惧。能自得时还自乐，到无心处便无忧。

日 + 知

　　没有天生的智者，只有善于学习和反思的聪明人。

　　子曰："我非生而知之者，好古，敏以求之者也。"

4. 字谜与隐语诗

字谜是谜语的一个分支，既是一种有趣的文字游戏，也是汉字特有的一种语言文化现象。其原理是根据汉字笔画相对繁复、偏旁相对独立、结构组合多变的特点，运用离合、增损、象形、会意等多种方式，以字或词为谜底创制而成。

字谜的历史很悠久。南北朝时鲍照便作有《字谜诗》："二形一体，四支八头，四八一八，飞泉仰流。"

每一句的谜底都是"井"字。"井"字的字形是两横两竖，而横竖只是笔画方向上的不同，所以是"二形一体"；"井"字又像是四根木柱，共八个头，所以是"四支八头"；"四八"加"一八"共"五八"，五乘八是四十，而"井"字也可以拆解成四个"十"；最后一句"飞泉仰流"则是描述从井里打水时井水洒落的样子。

　　后世将专门以字为谜底的诗，称作隐语诗。其谜面主要是将字形分解，而将谜底隐藏其中。所用诗句多数着眼于字形，有的则兼释字义。有的字谜诗全篇同一谜底，如鲍照的《字谜诗》。有的则是一句诗一个谜底，全篇组成一句隐语。比如，民间流传的《绝情词》：

　　　　下珠帘焚香去卜卦，问苍天，人儿落在谁家。恨玉郎，全无一点知心话。欲罢不能罢！吾把口来哑。

　　　　论交情不差，染成皂，难讲一句清白话。分明一对好鸳鸯，却被刀割下。抛的奴力尽才又乏。细思量，心与口都是假。

　　据说这首词出自乾隆皇帝之手，看似一首绝情词，实际却暗含了数字"一"到"十"，真是一首绝妙的字谜诗。（下－卜＝一、天－人＝二，同理类推）

　　另外，也有每句的谜底为一个笔画，全篇组成一个字的情况。比如：

　　一点一横长，一撇到南阳，南阳有个人，只有一寸长。（府）

　　王大娘，白大娘，一起坐在石头上。（碧）

这种字谜妙趣横生，不仅锻炼大脑，而且还能活跃气氛，所以特别适合在节日的场合中运用，比如元宵节的灯谜会。

《世说新语》记载了一则曹操和杨修猜谜的故事。

有一天，曹操路过曹娥碑（**图4.4**），见碑阴写着"黄绢幼妇，外孙齑臼"八个字，不知什么意思，就转过脸，问主簿杨修："你知道是什么意思吗？"

杨修回答说："知道。"

曹操急忙说："你先别说答案，容我想一想。"

结果，走了三十里地以后，曹操才说："我也知道

图 4.4　"曹娥碑"拓片局部

　　此碑是东汉时为颂扬曹娥孝行所立石碑。汉元嘉元年（151），上虞县令欲为曹娥立碑，先令属吏撰文，过了很久也未能成文，于是命弟子邯郸淳来写。当时邯郸淳非常年轻，从容捉笔，一挥而就，众人嗟叹不已。蔡邕阅后书"黄绢幼妇，外孙齑臼"于碑阴。

了。"他让杨修先写下自己的理解。

杨修说:"黄绢,是有颜色的丝帛,解作字是为'绝'字;幼妇,即少女,解作字是为'妙'字;外孙,指女儿的儿子,解作字是为'好'字;齑臼,是用来盛装和研磨调味料的器具,那些调料又以姜、蒜一类辛辣的东西为主,所以可理解为'受辛',解作字是为'辤(辞)'字。连起来就是'绝妙好辞'(**图4.5**)。"

这时曹操也写好了,内容同杨修的一模一样。于是曹操不由得感叹说:"我的才华不如你,足足差了三十里。"虽面带微笑,却很难掩饰内心的不悦。

《三国演义》说,一次曹操新修建了一个花园,完工后,手下人请曹操去看看还有没有什么地方需要修改的。

曹操看完园内的景物,比较满意。可是,当他走到大门口时,停下了脚步,并微微地皱了一下眉头。同行者

图 4.5 绝妙好辞

不知缘由。只见曹操从侍从手中拿过笔，在门上写了一个"活"字，什么话也没说就走了。

在场的人都不知道这是什么意思，就去问杨修。杨修想了一下说："门内加'活'是一个'阔'字，丞相是说门太宽了，应做窄一点。"于是，工匠们赶紧按杨修说的把门改得窄了一些。曹操看后，十分满意，得知是杨修的主意后，就再也没有说什么，只是哈哈一笑。

曹操打的是个哑谜，从谜底来看，仍然算是字谜的范畴。从这两个故事来看，曹操不仅喜欢猜谜，而且也是一位制作谜面的高手。只可惜，故事中的曹操被描述得心胸狭隘，并为杨修之死埋下了伏笔，令人有些唏嘘。

5. 谶言与谣言

古代文献中常常能见到关于谶的记载。

如《后汉书·光武帝纪》：

> 宛人李通等以图谶说光武。

《史记·秦始皇本纪》：

> 亡秦者，胡也。

那么，什么是谶呢？

实际上，谶是古代巫师或方士以谶术制作的一种隐语和预言，用以预测吉凶、预示未来。以图为主的谶，称为图谶；以语言文字为主的谶，称为字谶、谶语或谶言。

比如，在民间广为流传的《推背图》就属于图谶，而《刘伯温烧饼歌》则属于谶言。

在古代，谶言具有强大的舆论造势作用。

据《史记》记载，陈胜、吴广起义前，就曾用朱砂在布帛上写了"陈胜王"，并将布帛放在别人捕获的鱼的腹中，到了晚上又学着狐狸叫道："大楚兴，陈胜王！"为后面的起义成功奠定了舆论基础。

而王莽更是通过谶言登上了人生巅峰。

据《汉书·王莽传》记载，在王莽居摄政之位的第三年，齐郡临淄县昌兴亭亭长辛当一夜数梦，在梦中他遇到一个自称天公使者的人告诉他"摄皇帝当为真"，为了证明自己所说可信，这位使者还告诉他自己已使用了神力，在亭中留下了一口新井。等到亭长醒来，发现亭中果然多了一口新井，井深不下百尺。

不久，巴蜀地区的石牛主动跑到了长安的未央宫，送上一件铜符帛图，上面写道："天告帝符，献者封侯。承天命，用神令。"

正是凭借这些谶言的推动，王莽终于从摄皇帝变为真皇帝，在"职务和称呼"上实现了质的飞跃。

同样，在改朝换代之际，大肆利用谶言的，还有魏文帝曹丕及其幕僚。

《孝经中黄谶》云：日载东，绝火光，不横一，圣聪明。四百之外，易姓而王。

《易运期谶》曰：言居东，西有午，两日并光日居下。其为主，反为辅。五八四十，黄气受，真人出。

《易运期》又曰：鬼在山，禾女连，王天下。

"日载东"为"曹"，"不横一"为"丕"，合起来正是曹丕的名讳。从西汉建立到东汉灭亡，大概也就四百年。"鬼在山，禾女连"，合起来是"巍"字，通魏王的"魏"。"言午"组合为"许"，两"日"重叠为

"昌"，暗指汉当以许亡，魏当以许昌。

上面这几条谶言，都利用了汉字字形进行离合。为什么要利用汉字的字形呢？

从根源上说，是缘于古人对文字的崇拜。

从仓颉造字之始，"天雨粟，鬼夜哭"，天地为之一震。从此，在古人心中，文字便是一种具有神秘力量的存在。人们用文字进行表达与沟通，传递知识和经验，相比于口耳相传的方式，文字无形中打破了时间与空间的限制。

随着文字功能的不断发展，古人开始相信，文字不仅能用于人与人之间的交流，更能沟通鬼神，进行厌胜。

比如，王莽建立新朝以后，因厌恶汉朝的国姓"刘"字（可拆解为卯、金、刀），便把同样由金刀之义构成的"钱"改称"泉"（俗称"白水道人"），以达到用水来克火的目的（汉为火德，忌水）。

东汉建立以后，仍为火德，同样出于忌水的考虑，所以把首都名从带三点水的"洛阳"改为"雒阳"（传说太阳中有三足乌，三足乌可负日而行，改为隹旁，有利于火德）。等到曹魏的时候，魏为土德，根据土壤"得水而柔"的特点，对水大加推崇，又把"雒阳"改回"洛阳"。

古人能将地名不厌其烦地多次修改，足以看出古人对文字的敬畏。即使到了现代，更改地名的情况也时有发生。

比如，蒋介石的国民政府就曾把北京改名为"北平"，一者希望北方太平，二者由于当时南京已经成了首都，所以北京再称"京"，已然不太合适。等到1949年，中华人民共和国成立，又按照惯例，将"北平"重新改回

"北京"。

由于谶言在内容上经常语焉不详，所以历朝历代因谶言造成误解、出现差错的并不在少数。

比如《史记·秦始皇本纪》记载，燕人卢生曾进献谶纬之书，内云"亡秦者，胡也"。秦始皇不知道这里的"胡"指的是儿子胡亥，反以为是"胡人"，于是派遣将军蒙恬率领三十万士兵北击匈奴，并修建长城，以防范胡人。

又比如，据《资治通鉴》记载，唐太宗时，左武卫将军武连县公李君羡在玄武门值勤时，经常碰到太白星昼现，这在当时属于天象异常。于是，唐太宗便让太史了解情况，得到的占卜结果是"女主昌"。此时民间流传的谶书《秘记》中也记载，"唐三世之后，女主武王代有天下"，唐太宗知道以后非常担忧。有一天，唐太宗在宫殿内宴请武将，并行酒令，规则是每个人要说出自己的乳名。当听到李君羡的小名叫五娘后，唐太宗大惊失色。由于李君羡的官称、封邑中都有"武"字，加上又有女子的乳名，无论哪一条都能与谶语对上，所以不久以后李君羡便被唐太宗找了个理由杀掉了。结果还是没有避开"女主武王代有天下"的谶言，因为唐太宗无论如何也想不到，这里的"武王"指的是自己身边妩媚多姿的武才人。

如果把谶言用歌谣的形式表达出来，就成了谣言。其中最常见的便是童谣。

童谣本是流传于儿童中的歌谣，一般语言浅显，节奏轻快，能迅速地传到社会的各个角落。由于儿童天真无邪，所以在很多人心中，童谣内容虽浅，透露的却是上天的意志。

如《东周列国志》中太史伯阳父对周宣王说："凡街

市无根之语，谓之谣言。上天儆戒人君，命荧惑星化为小儿，造作谣言，使群儿习之，谓之童谣。小则寓一人之吉凶，大则系国家之兴败。荧惑火星，是以色红。"

在周太史看来，上天要警示君主，就会让荧惑星（即火星）化作小孩的模样，来教其他小朋友童谣。童谣的内容，往小了说，寓含某一个人的吉凶情况，往大了说，可以关系到国家的兴旺衰败。

历史上的童谣很多，这里只选择几条和文字有关的。如东汉末年，董卓专权，杀人如麻，大臣们敢怒不敢言，当时的首都洛阳便有童谣流传：

千里草，何青青。十日卜，不得生。（《后汉书·五行志》）

"千里"合在一起为"重"字，再加个草字头就是"董"字，"十日卜"倒过来为"卓"字，童谣中寓含董卓不久即将覆亡的预测。

西晋灭吴后，江南有童谣曰：

> 局缩肉，数横目，中国当败吴当复。

> 宫门柱，且当朽，吴当复，在三十年后。

> 鸡鸣不拊翼，吴复不用力。（《晋书·五行志》）

"局缩肉"指晋元帝懦弱无能，"目"字横过来是"四"，童谣暗指从吴国灭亡到东晋建立不满40年。从公元280年东吴灭亡算起，到公元317年晋元帝在江南（主要为东吴故土）依靠世家大族建立东晋，确实只有38年，不到40年。

根据史书记载，有时成年人为了打击政治对手，或寻求自保，也会编造谣言。

比如南朝宋明帝时，太子及诸皇子年龄都很小，宋明帝担心自己死后，外戚王景文和大将张永不受掌控，于是自造谣言"一士不可亲，弓长射杀人"（《宋书·王景文传》），借机将王景文赐死。"一士"为"王"，"弓长"为"张"，谣言直接指向了王景文和张永。

唐人董昌在越州称帝，山阴老人立刻献谣道："欲识圣人姓，千里草青青；欲知圣人名，日从曰上生。"（《稽神录》）其中暗含董昌名讳。

前秦符坚时，鲜卑人渐渐强大，于是有歌谣云："鱼羊田斗当灭秦。""鱼羊田斗"合起来就是"鲜卑"二字。当时符坚国号为秦，歌谣如此传唱，显然是有人想假借符坚之手对付鲜卑。

至于东汉末年太平道宣称"苍天当死，黄天当立，岁在甲子，天下大吉"，意图就更为明显了，以至于连黄巾起义的时间都在歌谣中说了出来。

虽然谶言、谣言中有不少是人为炮制的，但由于谶言、谣言一旦出现，便很容易形成强大的舆论风潮，因此，中国历史上深谙此道者无不趋之若鹜，标榜自己就是命定之人。

据《太平御览》记载，有一天，汉武帝刘彻与群臣聚会，酒酣耳热之际突然说了这么一段话：

汉有六七之厄，法应再受命，宗室子孙谁当应此者？六七四十二，代汉者，当涂高也。

虽然古代借谶语续天命者很多，但是在盛世之下，像刘彻这样"自黑"，借谶语论证"法应再受命"的还真没有过。这段话相当于皇帝金口玉言"钦定"了"当涂高"取代汉朝天命的合法性，所以在场的大臣们着实吓得够呛。

放在太平盛世时，大家还能将这段话当作酒后玩笑，

　　一旦天下有变，"代汉者当涂高"便成了皇位觊觎者们最大的舆论武器。

　　比如，王莽后期天下大乱，手握重兵者无不想自立为帝。

　　当时，占据河北的刘秀欲一统天下，而公孙述欲割据蜀中，战争一触即发。但是，令人意外的是，两人在动兵之前，却突然来了场有关天命归属的"辩论赛"。

　　刘秀一方引用谶纬中"卯金刀变青龙"（卯金刀为"劉"字）的记载，说自己是真龙天子；公孙述一方便引用《援神契》中"西太守，乙卯金"（公孙述曾做过蜀郡太守，巴蜀在西，可称西太守）的记载，说自己将断绝刘氏的国运。刘秀一方引用当时广为流传的谣言"刘氏复起，李氏为辅"，说自己是众望所归；公孙述一方便用典籍所规定的"一姓不得再受命"进行攻讦。

辩论进行到白热化阶段以后，为了证明自己称帝的合法性，公孙述一方索性直接从姓氏"公孙"上大做文章，利用《录运法》"废昌帝，立公孙"、《括地象》"帝轩辕受命，公孙氏握"等谶语来说明自己是上天指定的皇帝人选。

而刘秀则索性直接写信给公孙述，语重心长地指出，公孙述你错了，那些谶语中提到的"公孙"指的是身份，不是姓氏，人家说的是汉宣帝（其祖父为武帝太子），根本不是你。

最为绝妙的是，最后双方的焦点又回归到了汉武帝提出的谶语上。刘秀一方反问公孙述："代汉者当涂高，君岂高之身邪？"

辩论到最后没有分出胜负，公孙述还是坚持称帝（自称白帝，白帝城也因之得名，没错，就是李白诗"朝辞白

帝彩云间"、刘备白帝城托孤的那个白帝城），而刘秀则
靠着强大的武装力量实现了统一。

历史的发展，有时非常有趣。刘秀虽然义正辞严地批
评公孙述不是刘彻口中的"当涂高"，但他怎么也不会想
到自己的这一做法，却意外加强了用"代汉者当涂高"来
改朝换代的合法性。

东汉末年，西凉军阀李傕占据长安后，把持朝政，
于是有大臣进言"当涂高者，阙也"。"当涂高"是隐
语，指的是宫门上巍然高出的观楼——魏阙（图4.6），
按照谶言所示，名字中与"阙"同音的李傕应当早日继
承大统。

不幸的是，李傕还没来得及思考这种解释正确与否，
就败亡了。

继之而上的是"四世三公"的贵胄子弟袁术。

袁术的谋士们提出，"当涂高"中的"高"指的应是高门大族，象征身份，"当涂"表示的是名字，由于袁术字公路，"路""途"同义，"涂""途"通假，所以谶

图 4.6　东汉画像石拓本中的双阙

语对应的人是袁术。袁术恍然大悟，原来自己才是真正的天选之人哪！

所以，在得到传国玉玺以后，依靠谶言的造势，袁术便兴高采烈地称帝了。结果，军败身死，沦为笑谈。

又过了几十年，到了曹丕代汉自立、逼着汉献帝禅让的时候，曹丕手下的大臣许芝又轻车熟路地再次提起了"代汉者当涂高"，并解释道："当涂高者，魏也；象魏者，两观阙是也。当道而高大者魏，魏当代汉。"

当时宫门上有魏阙，宫门正对着大路，魏阙当途而高，正好应验了"当涂高"三字。这一解释让曹丕龙颜大悦，原来这谶语所说的是自己呀，所有的不安一扫而空。

一条谶言，数种解释，前赴后继，几代豪杰，刘彻也算是杀人于后世了。

谶言真的有这么灵验吗？

其实，谶言作为一种隐语，真正能抓住人心的原因在于其神秘性和趣味性。当一条谶言出现后，人们自然而然地会去思考其中蕴含的深意，在百思不得其解时，突然出现与其在一定程度上有所贴合的现象或事件，恍然大悟之下便深感其玄妙，继而深信不疑。

如果站在现代的角度回头去看，谶言的神秘性就会大打折扣。"应验"的谶言之所以能言之成理，与其说是因为文字的多义与多解，倒不如说是一种文字游戏。

如"公孙"既可认为是王公之孙，也可解释为公孙氏；"胡"既可解释为胡人，也可理解为胡亥。只要能附会上去，自圆其说，就会有人相信。

那么，为什么流传下来的谶言"应验"者居多呢？

这是因为谶言"应验"了才被记载，并作为经验或谈资流传，未曾应验的谶言在历史的长河中不知被淘汰了多少，今天看来实在是荒诞不经。

因此，在今天，与其一味地夸大谶言的灵验，或是简单地视其为迷信，倒不如理智地看待这种历史文化现象，从而了解当时的社会环境与文化心理，这样反而能增添不少的趣味。

6.《璇玑图》与回文诗

酡颜玉碗捧纤纤，乱点余花唾碧衫。

歌咽水云凝静院，梦惊松雪落空岩。

这首诗是宋代大文豪苏东坡的《记梦回文二首（其一）》。如果把这首诗从最后一个字往前倒着读，仍然是一首美妙的七言绝句。

在古代，像这样同一段文字顺读、倒读均可成文的文体便是回文了。

《文心雕龙·明诗》篇说："回文所兴，则道原为始。"不过，道原是谁，无从查考。今天，人们所能见到的真正能称得上回文的作品，在时代上，基本上都晚于南北朝时期苏蕙的《璇玑图》，所以，人们习惯上将《璇玑图》视为回文之祖。

苏蕙，前秦人，《晋书·列女传》记载："窦滔妻苏氏，始平人也，名蕙，字若兰，善属文。滔，苻坚时为秦州刺史，被徙流沙，苏氏思之，织锦为回文旋图诗以赠滔。宛转循环以读之，词甚凄惋，凡八百四十字，文多不录。"

苻坚，就是在著名的淝水之战中被东晋打败，留下了成语"风声鹤唳"的那位可怜的前秦国王。苏蕙的丈夫是苻坚的下属。关于苏蕙为什么要在锦缎上织回文诗，历史上有许多种版本。

《太平御览》引《前秦录》（由北魏的史官崔鸿所撰，内容为前秦的历史）说苏蕙"织锦制回文诗以赎夫罪"，也就是说，苏蕙作回文诗的目的是替丈夫窦滔赎罪。

而《文选》李善注引《织锦回文诗序》则记载窦滔被谪戍边后，又娶了年轻貌美的女子，苏蕙作回文诗的目的是让丈夫回心转意。

各种版本中的记载虽然不同，但殊途同归，都以大团圆的故事结尾：窦滔被赦免，夫妻恩爱如初，《璇玑图》完成了使命并流传于世。

1994年，赤峰宝山2号辽墓发现绘有《织锦回文图》的壁画（**图4.7**），形象地诠释了苏蕙织锦回文诗的曲折故事。

不过，在苏蕙的时代，尚没有"璇玑图"的叫法。据推测，"璇玑图"名称的由来很可能和武则天有关。

图 4.7　辽墓壁画《织锦回文图》

同为女人的武则天对《璇玑图》推崇备至，甚至亲自为之作序。

在序中，武则天称赞织锦回文诗"五彩相宣，莹心耀目"，"纵横反复，皆为文章"，"其文点画无阙，才情之妙，超今迈古，名曰《璇玑图》"。

璇玑本为古代测量天文的仪器，又指北斗群星。以璇玑为此图命名，是为了形容织锦回文诗制作精妙，变化多端。

这固然是一个非常高的评价。不过，《璇玑图》显然当得起这个评价。

《璇玑图》的制作非常复杂，全图共841字（在流传过程中于图正中间加了一个"心"字），用五色丝线织就，纵、横各29字，纵、横、斜、交互、正、反读，退一字、叠一字读均可成诗，并且诗可三、四、五、六、七言不等。

如，七言诗抒发对丈夫的思念：

伤惨怀慕增忧心，堂空惟思咏和音。

藏摧悲声发曲秦，商弦激楚流清琴。

如，四言诗抒发对乱世的忧虑：

谗佞奸凶，害我忠贞；

祸因所恃，滋极骄盈。

由于苏蕙并没有交代《璇玑图》的读法，而《晋书》

等书上对此又语焉不详，所以，自唐代以来如何解读《璇玑图》，全靠个人理解体会。因此，不同时代、不同的理解，解读出来的回文诗总数也就各有不同。

据说，武则天从中读出了200多首诗，但随着时间的推移，解读方法日渐丰富，被推读出来的诗越来越多，到现在为止，被统计出来的诗已经有7958首。800多字竟可离析出这么多首诗，实在令人吃惊。《璇玑图》在当时能惊世骇俗，轰动朝野，自然也是顺理成章。

不过，这7000多首诗中有不少诗句晦涩不通，有生拼硬凑的感觉，比起诗词的雅致优美，更像是一种文字游戏。

但《璇玑图》对于文学创作的影响却不容小觑，自南北朝开始，历代都不乏回文创作，比如唐代的陆龟蒙、皮日休就曾作有回文诗。

璇璣圖序

扶風竇滔妻蘇若蘭璇璣圖詩五采相宣瑩心耀目亘古以來所未有也唐
則天嘗序圖首朵初家君宦遊浙西好拾清玩凡可人意者雖重購不惜也
一日竟郡倅衙偶於壁間見是圖償其值得歸遺予予坐臥觀究因悟璇璣
之理試以經緯求之文果流暢蓋璇璣者天盤也經緯者星辰所行之道也
中留一眼者天心也極星不動蓋運轉不離一度之中所謂居其所而斡旋
之處中一方太微垣也璇疊字四言詩其二方紫微垣也璇交首四言詩二方
之外四正璇五言回文四維璇三言回文三方之外四正璇四言回文二方
文則不回也四維璇三言回文三方之外以至外四經皆七言回文詩可周
流而讀者也紹定三年春二月朱淑真書

織錦回文　圖序　　　三　北平宣外大街

图 4.8　《织锦回文》中关于武则天为《璇玑图》作序的记载

图 4.9 《织锦回文》中所载《璇玑图》

織錦回文讀法

先圖舊讀法頗詳然凌雜米鹽觀者反覺迷目今姑依圖考之、有二言、有四言、有五言、有六言、有七言有縱讀者有橫讀者有斜讀者有反覆讀者有旋轉讀者更有除字讀疊字讀相間讀交首讀者總之以色分讀斯得其端蓋其色既分則其文自別紅圖者七言也黑圖者三言也青圖者六言也紫圖者五言也黃圖者四言也四言左右橫讀五言上下縱讀六言列左右者縱讀列上下者橫讀可上下左右分讀亦可一上一下一左一右合讀三言亦可上下左右之縱之橫之顛之倒之順可逆可正可斜反覆鈎連左右橫讀七言則左之右之縱之橫之顛之倒之順可逆可正可斜反覆鈎連旋轉讀此則讀回文詩之大略也然七言詩自首讀之僅可周回四方循環不窮矣且紅圖之周圍於四方之外者無與於他圖而其縱橫於各圖之中者、四隅而已未能盡其經緯杼軸之妙也惟卽起處除去一字讀之則

織錦回文　讀法

五　北平榮錄大齋

図 4.10　《织锦回文》中所载《璇玑图》读法

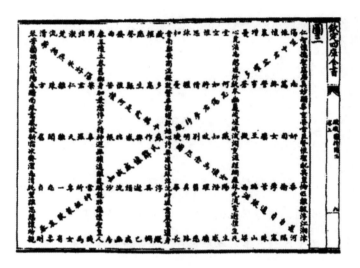

图 4.11　《四库全书》所载《璇玑图诗读法》

晓起即事因成回文寄袭美

陆龟蒙

平波落月吟闲景，暗幌浮烟思起人。清露晓垂花
谢半，远风微动蕙抽新。城荒上处樵童小，石藓分来
宿鹭驯。晴寺野寻同去好，古碑苔字细书匀。

奉和鲁望晓起回文

皮日休

孤烟晓起初原曲，碎树微分半浪中。湖后钓筒移夜雨，竹傍眠几侧晨风。图梅带润轻沾墨，画藓经蒸半失红。无事有杯持永日，共君惟好隐墙东。

皮日休字袭美，陆龟蒙字鲁望，从诗的题目来看，这两首回文诗应是两位诗人之间的唱和之作。对普通人来说，能写出回文诗已属不易，但对陆、皮二人来说，就算是命题作文，回文诗也能信手拈来，而且还可以作为礼物送人，硬是把回文诗玩出了新高度。

到了宋代，回文诗更盛，许多著名的文学家，如王安石、苏轼、秦观等人都曾写有回文诗，而且继回文诗之后，还产生了回文词，苏轼、黄庭坚、朱熹等人就曾作有为数不少的回文词，收录于《全宋词》之中。

菩萨蛮·四时（四首）

苏轼

春闺怨

翠鬟斜幔云垂耳，耳垂云幔斜鬟翠。春晚睡昏昏，昏昏睡晚春。细花梨雪坠，坠雪梨花细。颦浅念谁人，人谁念浅颦？

夏闺怨

柳庭风静人眠昼，昼眠人静风庭柳。香汗薄衫凉，凉衫薄汗香。手红冰碗藕，藕碗冰红手。郎笑藕丝长，长丝藕笑郎。

秋闺怨

井桐双照新妆冷，冷妆新照双桐井。羞对井花愁，愁花井对羞。影孤怜夜永，永夜怜孤影。楼上不宜秋，秋宜不上楼。

　　　　　　　　　　　　冬闺怨

　　　雪花飞暖融香颊，颊香融暖飞花雪。欺雪任单
衣，衣单任雪欺。别时梅子结，结子梅时别。归不恨
开迟，迟开恨不归。

　　宋神宗元丰三年（1080），苏轼因"乌台诗案"被贬
黄州后，孤独凄苦，作上述回文词以解脱。

　　闺怨，原为女子用来表达寂寞或离别相思之情。别人
写闺怨，一次一首。苏轼写闺怨，一次四首，可见词人当
时的心境之苦。不过，这四首《菩萨蛮》，虽是"批量生
产"，却哀怨婉转，浑然一体，让人在心疼词人的同时，
又不得不感叹其才情之高。

7. 道教符箓

　　符箓，又叫"丹书""符字"，是道教中符和箓的合

称。符指符书，是用朱笔或墨笔所画的一种点线合用、字图相兼，且以曲折笔画为主的神秘形象。箓则记载道教神仙名讳、形象、部属等相关内容。

符箓的内容极其深奥，与文字有密切关系的有以下几种：

（1）复文。道教的复文类似于节日所见的合体吉祥字，多由两个或两个以上的字组合而成，少数由多道横竖曲扭的笔画组合成形。较早的道教复文见于东汉《太平经》中，字数超过2000，许多复文至今无法释读。

（2）云篆。又称天书云篆，是道教特有的文字。在字形上颇似篆书，笔画曲叠，变化无方，给人以强烈的视觉冲击，充满了神秘感，故名"天书"。

（3）符图。主要有两种：一种是在符纸四周印制天神形象，再配以符文；另外一种则是由极为繁复的圈点线

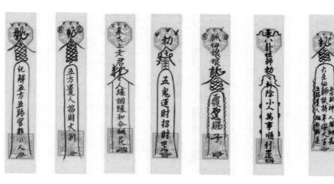

图 4.12　道教符篆

图 4.13　道教复文　　　图 4.14　天书云篆　　　图 4.15　道教符图

条构成的图形。

有时，为增强效果，符图、复文等还会组合在一起使用，如唐代铜镜上的道教八卦符箓星象（**图4.16**、**图4.17**）。

常见的符箓一般包括符头、符胆、符脚以及所请神仙名讳、敕令、所请事项等等（**图4.18**）。

符头是一道符的眼。常见的为三勾，代表道教三清，或城隍土地及祖师。符胆是一道符的灵魂所在，决定了该符是否灵验，内容多为一些秘字，常见的有"正""罡""井"等。在道教看来，画符其实就是请神灵到这张符内镇守，如果没有胆镇守在符内的话，这张符就不能充分发挥作用。符脚的变化就很多了，全视用途而定。

另外，早期的写符与书法关系密切。道教内善于写符

图 4.16　河南孟州出土的唐代八卦符篆星象镜（现藏洛阳博物馆）

图 4.17　河南孟州出土的唐代八卦符篆星象镜拓本

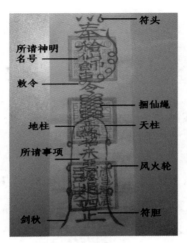

图 4.18　道教符箓的主要内容

的人，往往都在书法上颇有造诣，同理，历史上很多有名的书法家也擅长写符。

为了让一道符发挥作用，一般在写符的同时还要默念咒语。从符头开始，如果笔画和咒语配合得天衣无缝，就谓之"踏符头"。

东晋时期的葛洪在《抱朴子内篇·登涉》中就记载了当时的六甲秘咒："入山宜知六甲秘祝。祝曰：'临兵斗者皆阵列前行。'凡九字，常当密祝之，无所不辟，要道不烦，此之谓也。"

　　"祝"就是咒的意思，在葛洪及当时许多道教人士的观念中，进入大山时默念"临兵斗者皆阵列前行"九字咒语，并配合一定的步法，可以起到防身驱邪的作用。

　　一道符写完以后，往往还需要加盖道教专用法印才能增强效力。也有少部分人认为符箓不必加盖法印，但通常所看到的符箓，加盖法印的占了绝大多数。

　　除印之外，道符有时还要用到诀、步、法器等。制作一张符就如此繁复，可见道教文化的系统性与神秘性。

　　道教符箓种类繁多，使用方法也有严格的区分，有时为了满足普通人求财、镇宅、感情、辟邪等方面的需求，还会制作一些花钱供人们随身携带，以祈好运。

　　图4.19—图4.22中的花钱皆铸有道教的符箓或咒诀，读起来朗朗上口。此外，人们的生活中还有许多仅有符图

图 4.19　花钱

图 4.20　花钱

图 4.21　花钱

图 4.22　花钱

或仙人而没有文字的花钱，由于与本书所要论述的汉字关系不大，所以就不再过多叙述了。

8. 最不像成语的成语

成语是用数个汉字组成的固定短语，往往经过长期使用锤炼而成。据不完全统计，古往今来人们已使用过的成语有5万多条，其中大部分为四字短语，且多有文献出处。

如"狐假虎威"出自《战国策》，"刻舟求剑"出自《吕氏春秋》，"自相矛盾"出自《韩非子》，"完璧归赵"出自《史记》。这些成语或来源于寓言，或来源于历史故事，往往结构严谨，寓意精辟。

但是，也有一些成语别有个性，或主打唯美，如"岸芷汀兰""梨花带雨"；或略显呆萌，如"博士买驴""冬日可爱"；或颇为爽口，如"莼羹鲈脍""早韭晚菘"；或无比拗口，如"蹑蹻担簦""滂渤怫郁"。

还有一些一眼看去压根不像成语的成语，如：

"蛤蟆夜哭"，出自《艾子杂说》，相传为苏东坡所撰。

传说有个叫艾子的人乘船在大海中航行，晚上停泊在一个海岛上，半夜听见水底下有人哭，又好像有人在说话。

其中一个声音说："昨天龙王下了一道命令，水族中凡是有尾巴的都要斩首。我是鼍呀，很害怕被杀头，所以才哭。而你是只蛤蟆，又没有尾巴，为什么也哭个不停呢？"

然后听见另一个声音说："我现在没有尾巴，但害怕龙王追究我曾经是蝌蚪的事情啊！"

蛤蟆没有尾巴，但是刚生下来的蝌蚪是有尾巴的。可见，要想找一个人的差错，总可以找到理由。后形容毫无根据诬陷好人。

又比如"破马张飞"，传说源自张飞和马超的一场争论，现多用来形容一个人手舞足蹈、张牙舞爪、风风火火的样子。

"汝成人耶"，你当真还算是个人吗？没错，这也是个成语。

其实，类似这种"出人意料"的成语并不在少数，比较有趣的还有：

惨绿少年 出自唐朝张固《幽闲鼓吹》："客至，夫人垂帘视之，既罢会，喜曰：'皆尔之俦也，不足忧矣，末座惨绿少年何人也？'"原指穿浅绿衣服的少年，后引申为风度翩翩的青年男子。千万不能理解成这个人"惨得发绿"。

女生外向 出自汉代班固《白虎通》："以男生内向，有留家之义；女生外向，有从夫之义。"传说女子出生时面朝外，后指出嫁的女儿心思朝外，向着丈夫。这里的"外向"指的是"向外"，并非性格上的大大咧咧。

灾梨祸枣 也作"祸枣灾梨"。出自清代纪晓岚《阅微草堂笔记》："祸枣灾梨，递相神圣。"古代雕版印刷，多用梨木或枣木刻版。如果某人的作品质量很差，就相当于祸害了被砍来做书版的树，借以形容滥刻无用、内容不好的书。这里不由得感叹一句，过去的文人真够尖刻，骂起人来都不带脏字。

鲁鱼亥豕 "鲁鱼"出自东晋葛洪《抱朴子》："谚曰：'书三写，鱼成鲁，虚成虎。'""亥豕"出自《吕氏春秋》："有读史记者曰：'晋师三豕涉河。'子夏曰：'非也，是己亥也。夫己与三相似，豕与亥相似。'"原指书籍在撰写或刻印过程中出现的文字错误，现多指书写错误，或不经意间犯的错误。

加减乘除 出自明代王九思《端正好·次韵赠邵晋夫归隐》："端的是太平人物，谁想道命儿中加减乘除。"原指算术的四则运算，借指事物的消长变化。可见，加减乘除不是现代人发明的词语，古人早就用了。

博士买驴 出自北齐颜之推《颜氏家训》："邺下谚云：'博士买驴，书券三纸，未有驴字。'"意思是：博士去买驴子，契约都写了三张纸了，还没有写到"驴"字，讥讽写文章长篇累牍却说不到点子上。看来孔乙己不是被挖苦得最惨的文人。

又弱一个 出自《左传·昭公三年》："二惠竞爽犹可，又弱一个焉，姜其危哉！""弱"，此处指丧失、减少。减少一个是哀悼人去世。如果对古代汉语不熟，绞尽脑汁也想不到竟然是这个意思吧。

令人喷饭 出自苏轼《文与可画篔筜谷偃竹记》：

"与可是日与其妻游谷中，烧笋晚食，发函得诗，失笑喷饭满案。"多用来形容事情或说话十分可笑。东坡先生真是一位神奇的成语制造大师。

汉语博大精深，很多词语真是"语不惊人死不休"，如果不知道具体的出处和用法，还以为它们是混入了成语的队伍呢。所以，只有不断地学习、积累，才能准确使用成语，而不会望文生义。

9. 容易出错的繁简字

今天人们所使用的汉字常有繁简的不同，但并非所有的字都有繁体，在创作书法作品时，若分不清楚繁体字与简体字之间的差异，有时会贻笑大方。

比如：前后的"后"，可以写作"後"，但用作皇后时，只能写作"后"，在甲骨文中，它们是字形完全不同的两个字。

　　类似的易错字还有：

　　（1）丑：表示丑陋等义项时，可以写作"醜"，但在用作干支时，只能写作"丑"，如"子丑寅卯"。

　　（2）范：表示模范等义项时，可以写作"範"，但在用作姓氏时，只能写作"范"，如"范仲淹"。

　　（3）姜：表示蔬菜时，可以写作"薑"，但在用作姓氏时，只能写作"姜"，如"姜子牙"。

　　（4）卜：表示萝卜时，可以写作"蔔"，除此之外，只能写作"卜"，如"占卜"。

　　（5）干：表示干燥、干脆等义项时，可以写作"乾"；表示躯干、干部等义项时，可以写作"幹"；但表示干涉等义项时，只能写作"干"。

　　（6）发：表示头发、毛发等义项时，可以写作

"髮"，但表示发财、发展等义项时，只能写作"發"。

（7）困：表示困倦等义项时，可以写作"睏"，但表示困难等义项时，只能写作"困"。

（8）余：表示业余、剩余等义项时，可以写作"餘"，但表示第一人称时，只能写作"余"。

（9）云：表示云朵等义项时，可以写作"雲"，但表示说话等义项时，只能写作"云"，如"子曰诗云"。

（10）里：表示内部、里面等义项时，可以写作"裏"，但表示里程时，只能写作"里"。

（11）斗：表示战斗、斗争等义项时，可以写作"鬥"，但表示北斗、漏斗等义项时，只能写作"斗"。

（12）谷：表示稻谷时，可以写作"穀"，但表示山谷时，只能写作"谷"。

（13）咸：表示咸味时，可以写作"鹹"，但表示全部、皆等义项时，只能写作"咸"，如"老少咸宜"。

（14）据：表示凭据、根据等义项时，可以写作"據"，但表示拮据时，只能写作"据"。

（15）胡：表示胡须等义项时，可以写作"鬍"，但表示胡闹时，只能写作"胡"。

（16）舍：表示舍弃、施舍等义项时，可以写作"捨"，但表示宿舍、屋舍等义项时，只能写作"舍"。

10. 网络上的旧字新词

在汉字的发展过程中，许多汉字在消失一段时期之后，常常又会以一些特殊的方式重新回到汉字舞台，再次成为人们生活的一部分，人们或借其形，或用其义。这也恰恰是汉字的独特魅力所在。

比如，"囧"的本义为光明，因为酷似有眉眼有嘴巴的人脸之形，在网络聊天、论坛中成为使用最频繁的字之一，被赋予郁闷、悲伤、无奈之意，甚至被评为"21世纪最风行的一个汉字"。

又比如"槑"字，本为梅花的"梅"的异体字，仅仅因为这个字由两个"呆"字组成，于是在网络语言里被用来形容人很傻很天真，不仅呆，而且很呆。

类似的还有"奀""烎""兲""曼""嫑""孬""甭""齉"，与"囧"字有异曲同工之妙。

此外，还有把甲骨文稍加变化，配上今天的网络流行语制成表情包的，简直萌得可爱，让人看到后不禁有种想立刻使用并与朋友分享的冲动，如图4.23。

图 4.23　图片表情

五、汉字挑战

1. 看图识字

甲骨文是商周时期常用的占卜文字之一，其中有大量的象形字。你能根据下表的甲骨文字形认出它们在古代所表示的动物吗？

表 5.1

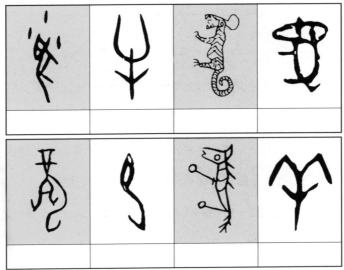

续表

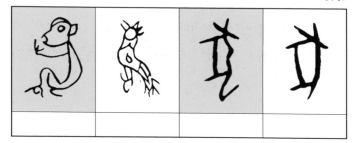

2. 汉字书法

汉字书法是以汉字为载体的艺术形式，包括笔法、字法、构法、章法、墨法、笔势等内容。

汉字书法历史悠久，从商周时期的甲骨文、金文到魏晋时期的行书、楷书，优秀作品众多，成绩斐然。

请辨识出图5.1—图5.5中的书法内容，以及它们的书体方式（甲骨文、小篆、行书、草书、瘦金体）。

图 5.1 辨识难度 ★☆☆☆☆

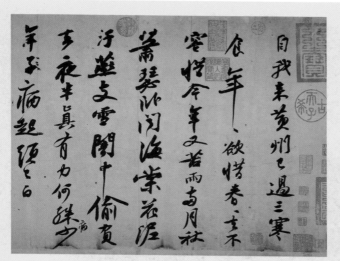

图 5.2　辨识难度★★☆☆☆

图 5.3　辨识难度★★★☆

3. 汉字大侦探

字谜是谜语的一个分支，是一种很有趣的益智游戏，迄今已有数千年历史，一直深受人们喜爱。

例如：九十九（打一字）

解析：九十九是一百少一，"百"字去掉上面的"一"，便成了"白"字，所以谜底是"白"。

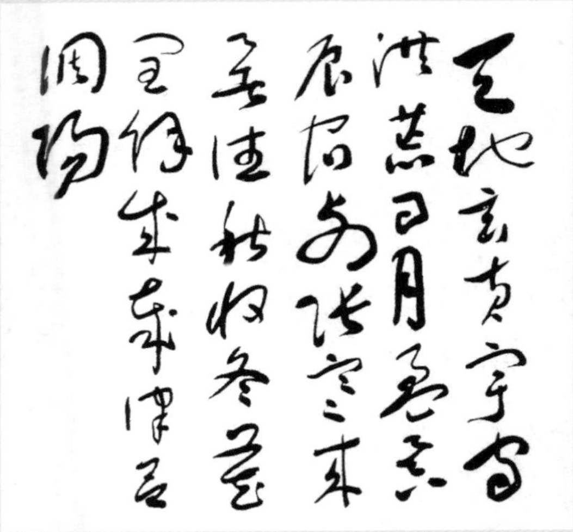

图 5.4　辨识难度★★★★☆

图 5.5　辨识难度
★★★★★

请根据谜面猜谜底。

（1）存心不让出大门，你说烦人不烦人（打一字）

（2）一只狗，两个口，谁遇它谁发愁（打一字）

（3）四面都是山，山山都相连（打一字）

（4）楚霸王乌江自刎（打一字）

（5）云破月来（打一字）

（6）算命先生（打一字）

（7）一千零一夜（打一字）

（8）上下难分（打一字）

（9）八十八（打一字）

（10）银川（打一字）

4. 文字连连看

在今天的中国版图内，历史上与汉字同时流行的还有其他民族的语言文字，如辽国的契丹文、西夏王朝的西夏文、元朝时期的八思巴文等。

现在，我国的少数民族中，除满族、回族已不使用自己民族的文字而直接使用汉字外，蒙古族、藏族等29个民族都有着与自己的语言相一致的文字。此外，有些民族使用一种以上的文字，如纳西族使用4种文字，景颇族使用2种文字。

新中国成立后，为了保存并发展民族文化，政府特地帮助一些只有语言没有文字的民族创造文字。如20世纪50年代，政府组织语言学专家、少数民族知识分子经过调查研究，先后为壮族、彝族、苗族、哈尼族、傈僳族等10个民族制订了14种拉丁字母形式的文字方案，其中，为苗语的不同方言制订了4种文字方案，为哈尼语的不同方言制订了2种文字方案。80年代，根据一些少数民族的要求，又为白族、独龙族、土家族、羌族等设计了拼音文字方案。

在少数民族文字中，有的文字，如藏文、彝文已有上千年的历史；有的文字，如苗文、壮文虽然创制时间不长，但由于使用人数较多，影响也很大。

　　下面是一些古人使用过的少数民族文字，试着将文字与相应的图片连起来。

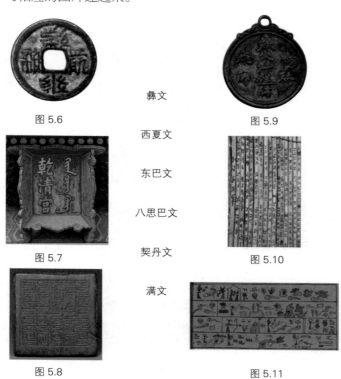

彝文

西夏文

东巴文

八思巴文

契丹文

满文

图 5.6

图 5.9

图 5.7

图 5.10

图 5.8

图 5.11

5. 皇帝的印章

清代的乾隆皇帝大概是世界上拥有印章最多的皇帝了。

据说，乾隆皇帝小时候与弟弟弘昼都喜欢印章，但每次遇到好的印章乾隆都抢不过弟弟。不知是不是受这段童年阴影的影响，长大后的乾隆皇帝特别喜欢收集各种印章。

在清代，每一位皇帝的印玺均有印谱，称为宝薮。乾隆《宝薮》中收录了乾隆皇帝1000多方印玺，此外还有700多方散佚在外，可见其拥有印玺的数量之多。

乾隆皇帝不仅喜欢集印，也喜欢用印，而且越是喜欢的书画，上面盖的章就越多。比如被乾隆皇帝视为"三希"之首的《快雪时晴帖》，本来只有短短的28个字，但是乾隆皇帝每每欣赏时，总是忍不住提笔赞叹一番，前后题字70余次，字数竟多达上万，光印章就盖了170多次，把原来仅14.8厘米宽的尺牍，硬生生地增宽到了5.5米（**图5.12**）。

但是，千万不要以为这些章都是胡乱盖上去的。要知道，乾隆皇帝可是中国历史上用印最为讲究的帝王之一。他曾亲自监工，根据用印的场合整理出了一套"二十五宝"印谱，并且规定凡是收录在《石渠宝笈》里的藏品，都必须统一盖"乾隆鉴赏""乾隆御览之宝""石渠宝笈""三希堂精鉴玺"及"宜子孙"五个章。除此之外，乾隆还会根据藏品所在宫殿的不同，再钤盖上宫殿章（**图5.13**）。

那么问题来了，乾隆皇帝那么喜欢在书画作品上"戳戳戳"，你知道图5.14—图5.28的印章上刻的是什么内容吗？

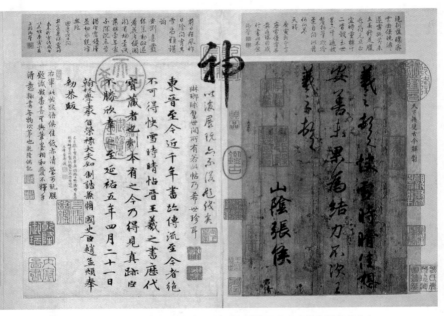

图 5.12　王羲之《快雪时晴帖》（局部）（现藏于台北"故宫博物院"）

图 5.13　《石渠宝笈》收藏的缂丝朱竹
图轴（现藏于故宫博物院）

图 5.14

图 5.15

图 5.16

图 5.17

图 5.18

图 5.19

图 5.20

图 5.21

图 5.22

图 5.23

图 5.24

图 5.25

图 5.26

图 5.27

图 5.28

6. 汉字转转转

众所周知，汉字语序古今不同，古代的汉字多是从右往左读，而今天的汉字多是从左向右读（书法作品例外）。但是，你知道吗？在古代有些时候，汉字还可以旋转着读。比如，1982年，文物工作者在北京顺义发现的南宋铜镜上的"鬅鉴图"（**图5.29、图5.30**），文字首尾相连反复缠绕，内容为《满江红》词：

雪共梅花，念动是、经年离拆。重会面、玉肌真态，一般标格。谁道无情应也妒，暗香埋没教谁识。却随风、偷入傍妆台，萦帘额。

惊醉眼，朱成碧。随冷暖，分青白。叹朱弦冻折，高山音息。怅望关河无驿使，剡溪兴尽成陈迹。见似枝而喜对杨花，须相忆。

这首词还被收入了《全宋词》。

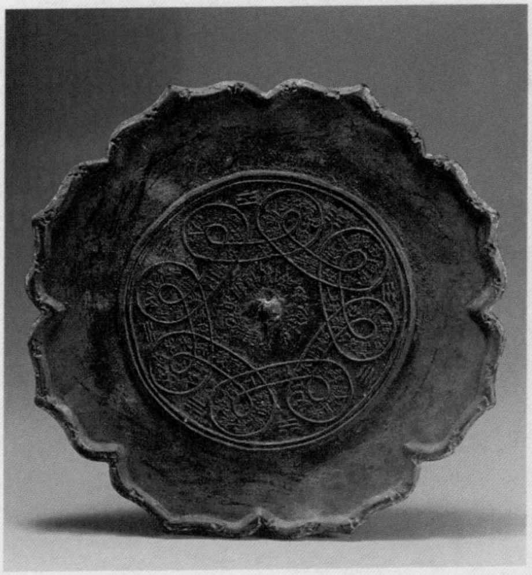

图 5.29　南宋铜镜上的犟鉴图

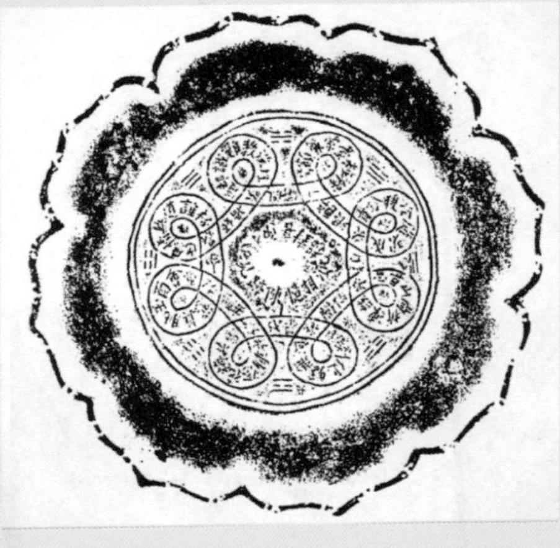

图 5.30　南宋铜镜上的犟鉴图拓本

　　有时，这样的回旋文字还会勾勒出一些画像，比如民国时期民间比较流行的"老来难"（**图5.31**）。

　　"老来难"是由文字组成的一位老者形象，除头、手、脚及拐杖外，其余部分皆由文字构成。请试着通过这些文字，解密其内容。

图 5.31　民间流传的老来难画像

7. 难以启齿

在汉字中，有不少由相同构字符号组成的字，如表5.2所示。

表 5.2

汉字	读音	字形	解说
吅	xuān		以两张口表示喧闹之意
从	cóng		以两个人同向表示相从之意
友	yǒu		以两只手同向表示友好之意
多	duō		以两块肉在一起表示拥有的多之意
步	bù		以左右两脚向前表示走路之意

汉字	读音	字形	解说
雔	chóu		以两只鸟相对表示相对、伴侣之意
豩	bīn		以两头猪追逐之形会追逐嬉戏之意
聑	zhé		以左右两耳相并之形会专注审听之意
品	pǐn		用口代表人，以三口表示人口众多之意
歮	sè		以脚足众多会步调难以一致之意
雥	zá		从三隹相叠会群鸟之意
焱	yàn		以众多火在一起表示火光盛大之意

续表

汉字	读音	字形	解说
㗊	jí		以众多口表示喧哗之意

这些字有的常用，有的生僻，但基本上都具有明确的构字理据。

汉字虽然是音、形、义的结合，但有时也会遇到看到字形却不知道读音和字义的情况。不信的话，试着读出下面汉字的读音。

表 5.3

汉字	读音	汉字	读音
玨		㑇	
秝		竝	
斦		棘	
舛		騳	
狀		麤	

续表

汉字	读音	汉字	读音
轟		飝	
淼		鑫	
垚		犇	
猋		羴	
鼺		麤	
鱻		顮	
惢		畾	
犇		劦	
姦		厽	
嚞		晶	
矗		蟲	
磊		毳	
晶		龘	
叒		燚	
朋		森	

8. 巧读玉连环

　　玉连环是回文诗的一种，由八个字首尾相连成玉环形而得名，内容多为器铭箴语。玉连环的读法是以其中任何一个字为起点，左旋或右旋，四字一句，均可成文。如东晋时重要的将领、荆州刺史殷仲堪所作的《酒盘铭》（**图5.32**）。

图 5.32　酒盘铭

读法：酒为礼节，有宜体悦。

酒悦体宜，有节礼为。

为礼节有，宜体悦酒。

为酒悦体，宜有节礼。

试解图5.33—图5.35中各种玉连环，看有多少种读法。

图 5.33　色铭　　　　　　　　　图 5.34　印铭

图 5.35　镜铭（光正随人长命宜新）

9. 闻字辨声

　　形声是汉字常用的造字方法之一。大部分的形声字在结构方面都是左形右声，但也有许多是例外的。

　　请说出表5.4所列形声字的声符。

表 5.4

汉字	声符	汉字	声符
鸠		和	
筑		旗	
徒		辨	
问		街	
孟		在	
到		布	
冯		贼	
视		阁	
颖		截	
空		寺	

10. 繁简得当

今天人们使用的简化字，有些不止一个来源，对应的也不止一个古文字字形。例如：

历：曆/歷　复：複/復　苏：蘇/甦　钟：鐘/鍾

汇：匯/彙　须：鬚/須　台：臺/颱　发：發/髮　系：

係/繫　只：祇/隻

试写出下列简化字对应的繁体字。

历＜历（　）史
　　历（　）法

复＜复（　）杂
　　复（　）习

苏＜苏（　）醒
　　苏（　）州

钟＜钟（　）表
　　钟（　）情

汇＜汇（　）款
　　词汇（　）

须＜必须（　）
　　胡须（　）

台＜台（　）风
　　舞台（　）

发＜发（　）展
　　毛发（　）

系＜关系（　）
　　联系（　）

只＜只（　）言片语
　　只（　）进不出

11. 庖丁解牛

　　在道教流行的汉代，道士们常将"兴善除害""令尊者无忧""急急如律令"等词语合写在符箓上，以起到召鬼神、镇精魅的作用。受其影响，大约从宋代起，民间使

用吉语合成文字的风气逐渐兴起，连体字从道士画符渐变
为民众表达避凶求吉愿望的一种手段。直到今天，不少连
体字仍在使用。

　　请像庖丁解牛一样，解出图5.36—图5.40连体字中的
词组或句子。

图 5.36

图 5.37

图 5.38

图 5.39

图 5.40

12. 过目不忘

在20世纪八九十年代，流行一首叫《丁老头》的顺口溜。具体的玩法是：边说边画，等说完顺口溜，就能画出一个老头儿的形象。当时全国各地虽然流传着不同版本、不同方言的画法口诀，但画出来的图案大多相差无几。

一个丁老头，欠我两个球，我说三天还，他说四天还，绕了一大圈，
买了三根葱，花了三毛三，买个大西瓜，花了八毛八，
两根大黄瓜，花了六毛六。

实际上，顺口溜对于帮助识记一些笔画众多的汉字也有非常神奇的效果。

根据下面的顺口溜，速记图5.41里的生僻字，争取在一分钟内正确地写出这个汉字。

图 5.41

一点飞上天，

黄河两边弯；

八字大张口，

言字往里走；

左一扭，右一扭；

西一长，东一长，

中间夹个马大王；

心字底，月字旁，

留个勾搭挂麻糖；

推个车车逛咸阳。

汉字挑战参考答案

1. 看图识字

鼠　牛　虎　兔　龙　它（蛇）马　羊　猴　鸡
狗　豕

2. 汉字书法

图5.1　瘦金体　宋徽宗《芙蓉锦鸡图》题诗：秋劲拒霜盛，峨冠锦羽鸡。已知全五德，安逸胜凫鹥。

图5.2　行书　苏轼《寒食帖》：自我来黄州，已过三寒食。年年欲惜春，春去不容惜。今年又苦雨，两月秋萧瑟。卧闻海棠花，泥污燕支雪。暗中偷负去，夜半真有力。何殊病少年，病起头已白。

图5.3　小篆　友天下士，读万卷书。

图5.4　草书　于右任《千字文》：天地玄黄，宇宙洪荒。日月盈昃，辰宿列张。寒来暑往，秋收冬藏。闰余

成岁，律吕调阳。

图5.5　甲骨文　老寿相传有彭祖，文学在昔称子游。

3. 汉字大侦探

（1）闯　（2）哭　（3）田　（4）翠　（5）育
（6）仆　（7）歼　（8）卡　（9）米　（10）泉

4. 文字连连看

图5.6—西夏文　图5.7—满文　图5.8—八思巴文　图
5.9—契丹文　图5.10—彝文　图5.11—东巴文

5. 皇帝的印章

图5.14：乾隆　图5.15：乾隆御赏之宝　图5.16：乾
隆宸翰　图5.17：乾隆御笔　图5.18：乾隆敕命之宝　图

5.19：乾隆鉴赏　图5.20：乾隆御览之宝　图5.21：八征耄念之宝　图5.22：太上皇帝之宝　图5.23：五福五代堂古稀天子宝　图5.24：宜子孙　图5.25：三希堂精鉴玺　图5.26：石渠宝笈　图5.27：十全老人之宝　图5.28：归政仍训政

6. 汉字转转转

老来难，老来难，劝人别把老人嫌。当初只嫌别人老，如今轮到我头前。

千般苦，万般难，听我从头说一番：耳聋难与人说话，颠三倒四惹人嫌。

雀蒙眼，似鳔沾，鼻泪常流擦不干。人到面前看不准，常拿李四当张三。

年轻人，笑话咱，说我糊涂又装憨。亲朋老幼人人恼，儿孙媳妇个个嫌。

牙又掉，口流涎，硬物难嚼囫囵咽。一口不顺就噎着，卡在嗓喉噎半天。

真难受，颜色变，眼前生死两可间。儿孙不给送茶水，反说老人口头馋。

鼻子漏，如脓烂，常常流落胸膛前。茶盅饭碗人人腻，席前陪客个个嫌。

头发少，头顶寒，凉风飕的脑袋酸。冷天睡觉常戴帽，拉被蒙头怕风钻。

侧身睡，翻身难，浑身疼痛苦难言。盼明不明睡不着，一夜小便六七番。

怕夜长，怕风寒，时常受风病来缠。老来肺虚常咳嗽，一口一口吐粘痰。

儿女们，都恨咱，说我邋遢不像前。老的这样还不死，你还想活多少年。

脚又麻，腿又酸，行动坐卧真艰难。扶杖强行一二里，上炕如同登泰山。

无心记，记性难，常拿初二当初三。想起前来忘了后，颠三倒四惹人烦。

年老苦，说不完，仁人君子仔细参。日月如梭催人老，人人都有老来难！

对老人，莫要嫌，人生哪能净少年。人人都来敬老人，尊敬老人美名传。

7. 难以启齿

珏（jué）　林（zhuǐ）　秝（lì）　竝（bìng）　所
（zhì）　棘（jí）　舛（chuǎn）　騳（dú）　狋（yín）

麙（yán）　轟（hōng）　飝（fēi）　森（miǎo）

鑫（xīn）　垚（yáo）　犇（bēn）　猋（biāo）

羴（shān）　晶（biāo）　麤（cū）　鱻（xiān）　贔

（bì）　惢（suǒ）　畾（léi）　掱（pá）　劦（xié）

姦（jiān）　惢（mó）　嚞（zhé）　晿（xiǎo）　譶

（tà）　矗（chù）　馫（xīn）　毳（cuì）　瞐（bìng）

龘（dá）　叒（ruò）　燚（yì）　朤（lǎng）　爒

（màn）

9. 闻字辨声（括号内为声符）

鸠（九）　和（禾）　筑（竹）　旗（其）　徒

（土）　辨（辡）　问（门）　街（圭）　盂（皿）　在

（才）　到（刀）　布（父）　冯（冫）　贼（则）　视

（示）　阁（各）　颖（顷）　截（雀）　空（工）　寺

（之）

10. 繁简得当

历（歷）史　历（曆）法　复（複）杂　复（復）习
苏（甦）醒　苏（蘇）州　钟（鐘）表　钟（鍾）情
汇（匯）款　词汇（彙）　必须（須）　胡须（鬚）　台
（颱）风　舞台（臺）　发（發）展　毛发（髮）　关系
（係）　联系（繫）　只（隻）言片语　只（衹）进不出

11. 庖丁解牛

图5.36：福禄寿　图5.37：好学孔孟　图5.38：鸾凤
和鸣　图5.39：唯吾知足　图5.40：钟离点石把扇摇，国
老骑驴走赵桥，洞宾背剑清风客，国舅瑶池品玉箫，彩和
手执云杨板，拐李先生得道高，仙姑敬奉长生酒，湘子花
篮献蟠桃。

后　记

　　本书是一本围绕汉字基本知识展开的通俗读物。

　　在文字理论等方面，本书主要参考了裘锡圭先生的《文字学概要》、詹鄞鑫先生的《汉字说略》、陆锡兴先生的《汉字民俗史》等书。一方面，这些观点都是作者深为赞同的；另一方面，这些内容现多已成为学界共识，再特意提出新说，亦无必要。

　　此外，在本书的写作过程中，中国科学院的华觉明先生，清华大学的冯立昇先生、王雪迎先生都曾提供过不少帮助，在此一并感谢。

　　由于篇幅所限，挂一漏万在所难免。虽然作者已十分努力，但受学识所限，错误或不妥之处当有不少，敬祈专家、同好批评指正。

希望大家能喜欢这本小书。